講談社選書メチエ
KODANSHA SENSHO MÉTIER
313

筒井賢治

グノーシス

古代キリスト教の〈異端思想〉

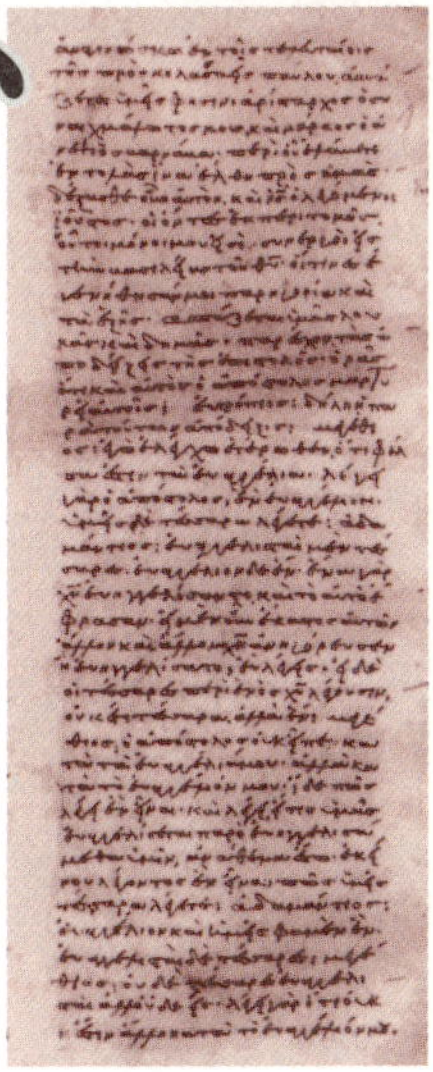

目次　グノーシス

	正統多数派教会	異端／キリスト教グノーシス
1世紀後半	異邦人伝道の進展 新約聖書諸文書（大部分）の成立	魔術師シモン＝「すべての異端の始祖」 キリスト仮現論の発生
	異邦人世界＝ギリシア・ローマ文化圏へキリスト教が本格的に浸透を開始	
2世紀前半		サトルニーロス、ケーリントス、カルポクラテース etc.
2世紀半ば		ウァレンティノス派 ウァレンティノス プトレマイオス ヘラクレオン マルコス テオドトス etc. 『真理の福音』 『フィリポ福音書』 『三部の教え』 ナグ・ハマディ文書 etc. バシレイデース マルキオン
2世紀後半	殉教者ユスティノス アンティオキアのテオフィロス エイレナイオス『異端反駁』（185頃）	上記諸派の活動
3世紀前半	ヒッポリュトス『全異端反駁』（3c.初頭） テルトゥリアヌス『マルキオン反駁』 アレクサンドリアのクレメンス オリゲネス	
3世紀後半		マニ教の成立と布教
4世紀前半	コンスタンティヌス大帝によるキリスト教公認	
4世紀後半	エピファニオス『薬籠』（375頃） 新約聖書「正典」27文書の固定 アウグスティヌス（354-430、19～28歳までマニ教徒）	ナグ・ハマディ写本の制作

初期キリスト教の正統と異端（キリスト教グノーシス関連）

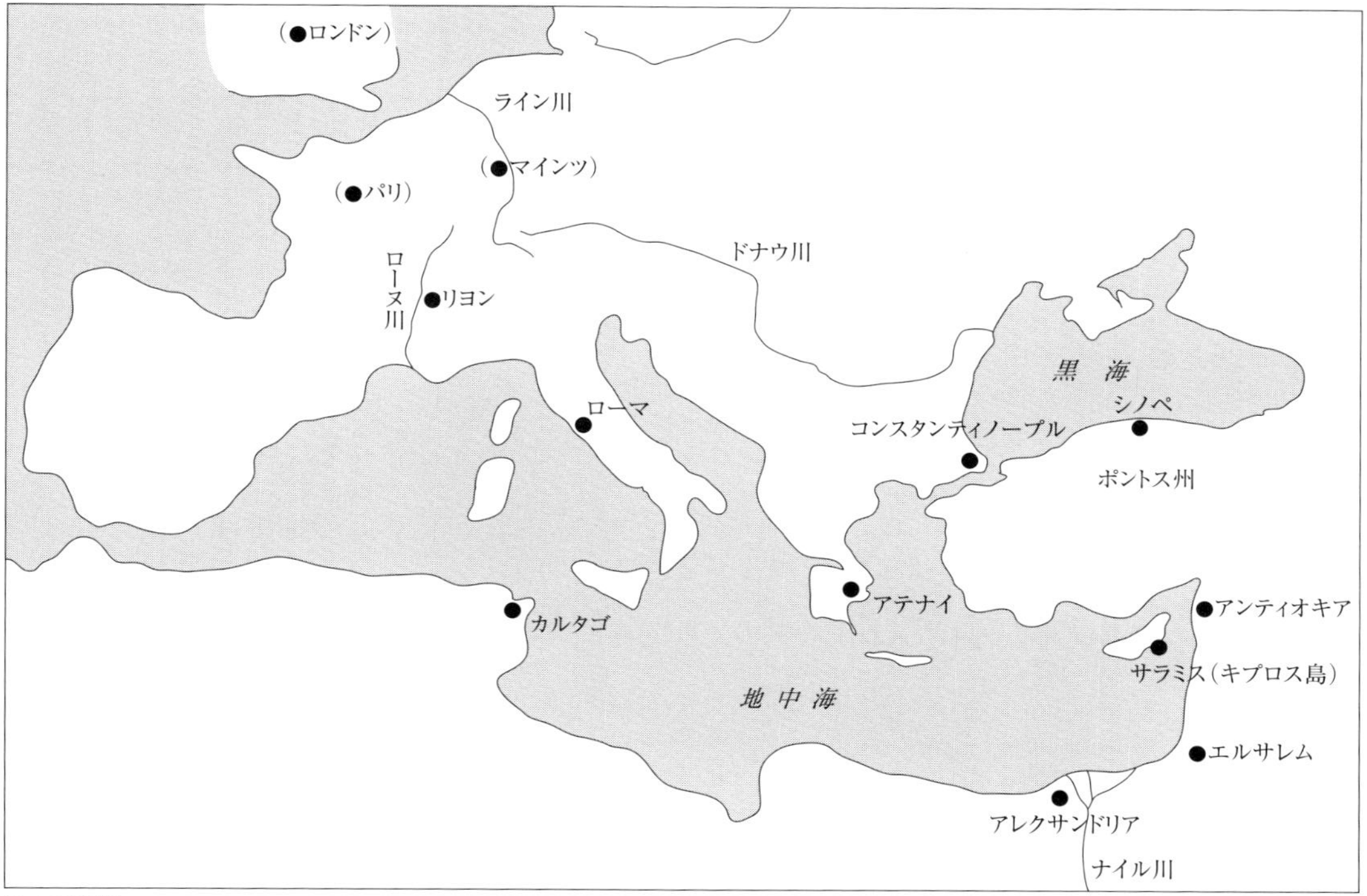
(●ロンドン)
ライン川
(●マインツ)
(●パリ)
ドナウ川
ローヌ川
●リヨン
黒 海
シノペ
●ローマ
コンスタンティノープル
ポントス州
●アテナイ
●カルタゴ
●アンティオキア
サラミス(キプロス島)
地 中 海
●エルサレム
アレクサンドリア
ナイル川

地中海世界

まえがき――本書の狙いについて

グノーシスとは何か

隠された福音、異端、カルト、神智学、世界逃避、超越世界、本来的自己、覚醒、性的オルギア、オカルト、叡智、錬金術、秘教、アンダーグラウンド……こうした大なり小なり扇情的なキャッチフレーズとしばしば結びついた形で近年の注目を浴び、また翻訳や専門論文集として日本の出版界でも一定の認知を得るに至っている「グノーシス」「グノーシス主義」という言葉だが、そもそも、これは何を指していたのだろうか。

元来、この言葉は「キリスト教グノーシス」と同義であり、初期のキリスト教会で広まっていた一部の思想を総称する、キリスト教史ないし「教会史」における専門用語であった。

この思想がどういう主張を掲げていたのかという問題だが、「グノーシス」（ΓΝΩΣΙΣ）とは、ただの単語として見るなら、「認識」や「知識」を意味する古代ギリシア語の普通名詞である。ならば、キリスト教グノーシスとは、「知る」ということに特に重きをおくキリスト教流派であったのだろうと想像することができるだろう。事実、そう考えても間違いではない。ただし、いったい何を「知る」というのか、この点で一定の方向性があった。

多くの場合、キリスト教グノーシスにおける「認識」の対象は、イエス・キリストが宣教した神

（＝至高神）とユダヤ教（旧約聖書）の神（＝創造神）は違うということ、創造神の所産であるこの世界は唾棄《だき》すべき低質なものであること、人間もまた創造神の作品であるが、その中に、ごく一部だけ、至高神に由来する要素（＝「本来的自己」）が含まれているということ、救済とは、その本来的自己がこの世界から解き放たれて至高神のもとに戻ることなのだということ、といった事柄である。これだけでは抽象的すぎてわかりづらいが、詳しい説明は本論に譲り、ここでは歴史的な面に絞って話を進めたい。

このキリスト教グノーシス思想は、時代としては、紀元二世紀の半ばから後半に最盛期を迎えた。もちろん、これ以降もキリスト教グノーシスと呼びうる思想や運動が一部で続いていったし、逆に、それ以前の時代においても、いわば萌芽的な段階のキリスト教グノーシスの存在を、ある程度まで実証的に確認することができる。しかし、この思想の頂点はやはり紀元二世紀であった。

さて、次にキリスト教とは直接に関係しない領域に目をやると、同じ紀元二世紀の前後、ほかにも似たような思想運動があったことがわかる。これを「非キリスト教グノーシス」と呼ぶわけだが、とすれば、キリスト教／非キリスト教という区別を越えて、総括的に「グノーシス」もしくは「グノーシス主義」と呼ぶべき思潮が古代末期において実在していたのだという結論が出てくることになる（なお、本書では「グノーシス」と「グノーシス主義」を意味上の区別なく用いる）。

その上で、さらに歴史上の直接的な因果関係や影響関係を度外視した観点から眺めるなら、現代日本をも含むさまざまな時代と場所で、「グノーシス」と呼びうる思想傾向が認められる。個々の例においてそれが当たっているのかどうかは別にして、事実、哲学者や宗教学者、さらには社会学者や心理学者や評論家など、さまざまな分野の人々がそのように論じている。冒頭に述べたように「グノーシス」という言葉が古代キリスト教史や西洋古代思想史という専門領域を越えて世に広く知られるようになったのは、そのおかげである。

つまるところ、ひとくちに「グノーシス」といっても、このように、実は意味内容が多重である。簡単にまとめるなら、元来は古代キリスト教史におけるテクニカルタームであったものが、研究の進展とともに次第にカバーする範囲を広げ、キリスト教という枠も歴史という枠も打ち破って抽象性の度合いを増し、ついにはある種の汎用的な概念にまで成長をとげたのである。

そのため、グノーシス主義を筋道だてて総合的に解説するという課題は、きわめて複雑で困難なものとなる。むしろ、すべての側面を完全にフォローするのは、実際問題として不可能だというべきであろう。このような状況下で、本書としては、どのようなアプローチを採用するべきだろうか。

こうした方法論の問題を避けて通ることができないのは、グノーシスを論じる際の宿命のようなものである。グノーシスの内容を本格的に説明する前の「まえがき」において定義や方法論の問題を扱うという構成になってしまったのは、少しでも重複を避けて全体を簡潔にまとめるための、やむを得ない手段としてご了解をいただきたいと思う。

共時的アプローチ

さて、「共時的」「通時的」という言葉がある。どうやら、もともとは言語学の分野から出てきたものらしいが、現在では、歴史に関わるさまざまな分野で使われている。「共時的」とは、ある時点を決めて、その時点におけるさまざまな事柄を領域横断的に調べるという研究方法、「通時的」とは、ある特定の地域なり現象なりに的を絞って、それが時間つまり時代とともにどのように変化していったのかを調べる研究方法である。この二つのアプローチがお互いに助け合う形で、言語学であれ、歴史学であれ、研究が進展していく。

グノーシス研究においても、当然、両方のアプローチが必要になる。しかし、これまでのグノーシス研究では、著者の見るところ、通時的な問題意識の方が専門家の間では主流であった。少なくとも、一般向けあるいは専門家向けのグノーシス概説書においては、グノーシス主義なるものがどこでどのようにして成立し、どのようにしてキリスト教と混ざり合い、どのようにして発展し、どのようにして表舞台から消え、にもかかわらず、どのようにして地下水脈のような形で連綿と生き続け、そして現代にまで至るのか――このような執筆プランを採用することが、いわば暗黙の了解になってきた。

もっとも、本書でも何度か名を挙げることになるハンス・ヨナス以来、グノーシスの「本質」とは何なのかを問題にする新しいアプローチが登場している。この場合には、歴史が直接には関係しないことになる。逆にいえば、時代や地域を自由自在に飛び回るグノーシス「系譜学」が、ヨナスのお墨付きによって可能になったということにもなる。分類的には、これは通時的でも共時的でもなく、あえて言葉を作れば「超時的」とでもいうことになるのだろう。ただこれも、歴史上の特定の現場から離れるという傾向においては、通時的なアプローチの方に近い。

さて共時的なアプローチだが、もちろん、細かい専門的な局面では盛んにおこなわれている。グノーシス研究の根本をなす資料問題、すなわち反異端文書の解釈、ナグ・ハマディ文書の校訂と注釈、こうした地味な作業は、かなりの部分、共時的な研究調査によって支えられている。また、グノーシスという現象を社会学的な面から解明しようという方法論も、いまだ十分な成果が得られていないけれども、やはり共時的なアプローチとして分類できる。しかし、グノーシスを歴史的に叙述する段になってこの共時的な視点が前面に据えられた例は、筆者の知る限り、これまでまったく、もしくはほとんど見られなかった。

そこで本書では、「グノーシス」という概念のいわば出発点にひとまず立ち帰り、照準を二世紀のキリスト教グノーシスに絞ることにしたい。二世紀のキリスト教グノーシスといえば、何といってもヴァレンティノス派、バシレイデース派、そしてマルキオン派がその代表である（マルキオンをグノーシスに分類すべきかという問題について詳しくは第四章で論じる）。そこで、この三者を軸に、紀元二世紀を視野の真ん中に据えるという共時的なアプローチを採用してみようというわけである。

具体的には、まず第一章でアプレイウスとプトレマイオス――時代を同じくするが、直接の接触は考えられないギリシア哲学者とキリスト教グノーシス主義者――に共通する点を手がかりにして「紀元二世紀という時代」の一側面を紹介し、続けてヴァレンティノス派、バシレイデース、マルキオンに一章ずつを充てるという構成をとることにする（第二～四章）。その上で、紀元二世紀以外、そして古代の非キリスト教グノーシスにも多少は触れておくという目的も兼ねて、第五章で大まかな「グノーシスの歴史」を紹介したい。そして、短い一般論的な「結びと展望」を第六章として据えることにする。

このコンセプトにともなう第一の欠点は、事柄の先取りや重複がどうしても避けられなくなってしまうことである。とりわけ第一章においては、二世紀という時代を紹介するための材料としてキリスト教グノーシスそのものを欠かすことができないことから、第二章で詳しく説明されるプトレマイオスというグノーシス主義者の話が何度も出てきてしまう。ほかにも、同じ事柄を複数の箇所にまたがって説明するというケースがある。これをいくらかでも補うために、索引を充実させておくことにする。

もうひとつの欠点は、やはり、扱う対象が限定されすぎてしまうことだろう。第五章の簡単な叙述を別にすれば、本書は「紀元二世紀のキリスト教におけるグノーシス主義」という枠を出ないことになってしまう。近代や現代を含めた「グノーシス的なもの」に興味を抱く読者の期待には、ほとんど応《こた》えることができない。しかし、この点はむしろ、著者としてはポジティブに考えたい。何をもって「グノーシス的」とするのかという点を明確にしておかなければ、超領域・超時間的にグノーシスの系譜を云々しても、あまり意味があるとは思われない。そして何かを「グノーシス」の基準モデルとして設定するなら、それはやはり、この概念の出発点である二世紀のキリスト教グノーシス以外には考えられないのである。むしろ、本書で選ばれる共時的なアプローチを通してキリスト教グノーシスの歴史的な原点ないし出発点をうまく押さえておくことができるなら、そして、それができて初めて、広義のグノーシスについても、古代キリスト教史以外の各分野を専門とする人々を含めて、さまざまな立場や観点の間で、地に足をつけた対話を開始することができるのである。

なお、本書がカバーできない範囲のテーマについても、最近では（翻訳物を中心に）グノーシス入門書・概説書が出版されている。そのため、比較的詳しい文献案内を巻末につけておくことにする。

また、本書でもたびたび登場する「ナグ・ハマディ写本／文書」については、簡単な解説を「付録」という形で載せることにしたい。

ではさっそく、まず紀元二世紀という時代を覗《のぞ》いてみることから始めよう。

第一章　紀元二世紀という時代

「アモルとプシューケー」の物語

人間離れした美しさのため女神ウェヌス（英語名ヴィーナス）の嫉妬を買って奴隷にされている少女が、冥界の女王プロセルピナ（ギリシア語名ペルセフォネー）を訪ねて「美しさ」の入った手箱を借りてくることをウェヌスから命じられる。少女は何とか任務を果たし、まもなく、手箱を抱えて再び地上世界にたどりつく。

ちょうどそのとき、何があってもその箱を開けてはいけないと教わっていたにもかかわらず、あるいはまさにその忠告が逆の引き金となって、少女は箱の中身を見たくて見たくてたまらなくなってしまう。ところが、箱の中に入っていたのは「冥界の眠り」、つまり死であった。箱を開けた少女はたちまち倒れ伏し、動かなくなってしまう。

これは紀元後二世紀後半にアプレイウスという人物が書いた『変身物語』、別名『黄金のろば』に挿入されている有名な物語「アモルとプシューケー」の一場面である。プシューケーがこの少女の名、恋愛と美の女神ウェヌスの息子アモル、別名クピードー（英語名キューピッド、ギリシア名はエロース）がその夫である。昔から絵画のテーマとしても好んで取り上げられているこのシーンは、物語のほとんど最後の部分にあたる。

話を戻せば、アモルは神であるにもかかわらず人間の少女プシューケーに一目惚れし、自分の正体を明かさないまま、彼女と結婚していた。ただし、正体を知られるとまずいということで、アモルはプシューケーを黄金の御殿に一人で住まわせ、自分は夜の間だけそこに通ってくるという「通い婚」をおこなっていた。そして妻には、「決して自分の姿を見ようとするなよ、さもないとすべてが終わりになるから」と言い聞かせていた。

　ところが、ある夜、プシューケーはどうしても夫の正体を知りたくなってしまった。そこで、夜中に一人で起きてランプを灯《とも》すと、目に入ったのは美しい少年神アモルであった。そしてその瞬間、ランプの油が、眠っているアモルの体に垂れてしまう。アモルは目を覚まし、約束を破ったプシューケーを責め、そして飛び去ってしまった。一人ぼっちにされたプシューケーは、アモルを探して放浪の旅に出る。結局、彼女はウェヌスに奴隷奉公させられる立場となり、冒頭に記した無理難題を仰せつかったのである。

　その後は、冥界で倒れているプシューケーをアモルが発見して救い出し、プシューケーは主神ユピテルの計らいで神とされ、正式にアモルと結婚することになる。天上で盛大な結婚式が催され、後にプシューケーはアモルとの子「よろこび」を産む――以上が、有名な「アモルとプシューケー」物語の大筋である。

アモルに救い出されるプシューケー（エドワード・バーン＝ジョーンズ）

隠された意味

　ともかく、こうしてプシューケーの物語は絶体絶命の危機から一挙にハッピーエンドへと向かうわけだが、そもそもプシューケーがこのような危険に陥るきっかけになったのが、夫の警告を破ってその姿を見ようとしてしまう彼女自身の軽率な行動であった。これは、冥界から戻る途中、ついつい小箱を開けてしまうところの話でも同じである。つまり、好奇心に負けて禁を破ってしまい、それが重大な危険を招くことになるというパターンである。

実際、冥界からプシューケーを助け出す場面で、アモルは彼女に次のような言葉をかける――「それまた、可哀そうに、お前は今度も同じ好奇心から死ぬところだったじゃないか」（六・二一）。それよりずっと以前、まだ幸せな結婚生活が続いていたとき、自分の姿を見ようとするなと警告するためにアモルはプシューケーに言い聞かせていた――「さもないとそんな慎《つつ》しみのない好奇心から、これ程も大きな幸福の絶頂から奈落の底へとおっこちてしまうばかりか、もう今後は良人に会うこともかなわなくなるのだから」（五・六）。

このように見ると、プシューケーというこの少女は、軽はずみな行動を繰り返しては大失敗し、にもかかわらず懲りようとしない、可愛くて幸運なだけで中身のない女の子に思えてくるかもしれない。ましてや、その都度アモルの愛によって救われて最後にはちゃっかり幸福を手にしてしまうのだから、それでストーリーが面白くなるのだから構わないとしても、結局それだけの、いかにも童話的な「お姫様」であるという印象をぬぐえない。逆に、そのように割り切らなければ、現代の読者にはあまり納得がいかないかもしれない。

とすれば、この物語は、有名なわりには空疎な娯楽小説にすぎないということだろうか。ところが、この物語の作者アプレイウスは当時最大級の知識人であり、まさに古今東西の文学や哲学に通暁していた。「プラトン哲学者」という名称が、古来から肩書のように付けられていたほどである。このことからも、『黄金のろば』は通俗的な読み物だ、というだけで話が済むとは考えられないのである。

何か、この物語には隠された意味があるのではないのだろうか。

はたして、もう少し細かく観察すると、「アモルとプシューケー」の物語にはもうひとつ別の顔が見えてくる。まず、これまで単なる固有名詞として扱ってきた「プシューケー」という名前だが、これはギリシア語で「魂」を意味している。また先に触れたように「アモル」はラテン語で「愛」や「恋」を意味し、ギリシア語の「エロース」に相当する。これだけでもこのカップルは何やら意味ありげに見えてくるが、さらに、ギリシア哲学に詳しい人ならば、プラトンの対話篇『ファイドロス』の中で、「魂」が真理への、もしくは「真実在」「美そのもの」への「エロース」に満たされて天上に昇っていくという寓話が語られていたことを思い出すかもしれない。繰り返しになるが、著者アプレイウスはプラトン哲学の専門家だったのである。

時代がちょっと下って五世紀になると、ウェルギリウスの作品に全面的な象徴的＝道徳主義的な解釈を施したことでも有名なフルゲンティウスというキリスト教著作家が、「アモルとプシューケー」の物語にも隠喩的解釈を施し、シンボリックな解釈を大がかりに展開している。もちろん、そこまで傾向的なアレゴリー化がキリスト教徒でもないアプレイウスの作品の解釈として正しくないことは言うまでもない。

とはいえ、現代、たとえば二〇世紀に入ってからだけでも、多くの古典学者や宗教学者が「アモルとプシューケー」を象徴的に解釈するためにさまざまな仮説を提出している。そうした解釈に根本的に反対する研究者がいないわけではないが、やはり、この物語に何かしら隠された意味が含まれているはずだという判断はまず避けられない。反対の説を唱える研究者は、「アモルとプシューケー」の各要素について、他の童話や民話の類にも同じモチーフが見つかることをいちいち指摘し、だからこの物語も単なるおとぎ話なのだと主張するケースが多い。しかしこれは論証の目的と手段を取り違えている。文学作品とは、単なる部品の集合ではない。

『黄金のろば』のメイン・ストーリー

この点は、「アモルとプシューケー」の母体である長編小説『黄金のろば』そのものを視野に入れるとさらにはっきりしてくる。「アモルとプシューケー」は、先に触れたように、『黄金のろば』（正式には『変身物語』）という全一一巻からなる小説の第四巻から第六巻にかけて収められている挿話である。挿話といっても、テキストの分量は小説全体の五分の一程度を占めてしまっているが、あくまで挿話である。知名度の点でこの挿話に圧倒されてしまっているメイン・ストーリーの方だが、こちらはおおよそ次のように展開する。

主人公のルーキウスという青年が所用でギリシアのテッサリアという土地を訪れる。この地方は魔術が盛んなことでも有名で、もともと物好きな性格のルーキウスは自分でも魔術を習得したくてたまらなくなってしまう。そこで、パンフィレーという女魔術師に接近するため、その小間使いであったフォーティスという若い女をまず誘惑する。このフォーティスと親密な仲になったルーキウスは、彼女に頼んで、パンフィレーが鳥に変身した魔術を真似して自分にかけてもらう。ところがフォーティスが手順を間違えてしまい、その結果ルーキウスは鳥ではなくろばになってしまう。『黄金のろば』という通称はここに由来する。人間の姿に戻るには、すぐそばにあったバラの花を食べるだけでよかったのだが、まさにそうしようとした瞬間に盗賊が押し入り、盗んだ品物を運ばせるため、そこにいたろばもついでに奪っていくことにする。こうしてろば＝ルーキウスの奇妙な放浪が始まる。

いくつものエピソードが重なる中でひとつだけ触れておけば、ある幼い王女が結婚式の場から誘拐されて盗賊団の手に落ちるという話がある。絶望する王女の気を紛らわせようと、盗賊団に仕えていた老婆が彼女に「面白い話」を語り聞かせる。これが「アモルとプシューケー」の物語である。ろばもそこに居合わせて話を聞いていたというわけである。

注目に値するのは、ルーキウスが人間に戻るところの話、『黄金のろば』の最終巻すなわち第一一巻である。結局バラの花を食べて魔術が解けるのだが、ルーキウス自身が独力でついにバラを見つけだすというハッピーエンドではない。ルーキウスがすっかり絶望して神に助けを求めて祈る、それによって救いがもたらされるのである。神が啓示を下してなすべきことを教え、そのとおりにしたルーキウスは、その神に仕える大祭司からバラの花をもらい、衆人環視の中でろばから人間の姿に戻る。その後ルーキウスは自分自身も修行を重ねてその神に帰依する。これが『黄金のろば』の結びである。

この神とは、もともとエジプトの宗教に由来する女神イシスである。イシス崇拝は当時のローマ帝国でも広く普及していた。一〇巻までの世俗的で面白い冒険物語が、最後の巻でいきなり抹香くさい宗教プロパガンダのようなものになってしまうことから、この第一一巻は、それまでとの有機的な連関を欠く、下手な付け加えであるという評価まで出されている（そもそも一一という数が中途半端に見える）。

「好奇心」

そのような文芸批評的な判断が、結局のところどこまで当たっているのかを判断するのは本書の課題ではない。しかし、この一見強引な構成が著者アプレイウスの意図に即していること、この点だけは確認しておく必要がある。というのは、ルーキウスがバラの花を食べて人間の姿に戻ったとき、その花を彼に与えたイシスの大祭司が次のように説いて聞かせるのである――「お前は血気盛りの年頃によくありがちな誘惑に負け、惨めにも快楽に沈溺《ちんでき》して、お前のその宿命的な好奇心によって苦々しい罰を受けたというわけだ」(一一・一五)。もちろん、ろばに変身させられる以前の部分にもこれに対応する描写がいくつかあり、たとえばルーキウスが魔術に憧れてパンフィレーに接近しようとしたのは「……私の方はそれでなくても前々から好奇心に駆られているので、魔術というその始終こいこがれた名前を聞くや否や……よしどんなにたくさんな授業料を払おうと、そうしたことを教えてもらいたさが一杯、たとえそれが深い地獄の底なりと即座にきおい込んで飛び込みかねない有様」だったからだという(二・六)。「好奇心」という言葉が、先にプシューケーをなじる言葉として引用した部分と共通していることに注目していただきたい。

つまり、『黄金のろば』全体とその中に挿入されている「アモルとプシューケー」の物語には、主人公(ルーキウス、プシューケー)が自分の「好奇心」に足をすくわれて破滅を招き、独力ではなく一方的に神(イシス、アモル)からもたらされる援助によって救われるという筋が共通している。そして『黄金のろば』第一一巻が右に触れたようにアプレイウスによって強引に付加されたような巻であること、「アモルとプシューケー」も少なくとも全体としてはアプレイウスの創作であると考えられることから、「好奇心」というモチーフがアプレイウスにとって特に重要な意味をもっており、それが『黄金のろば』という文学作品の核心をなしていることは疑うことができない。

さらに言えば、この「好奇心」という語はラテン語原典で curiositas（クーリオーシタース）という名詞――英語の curiosity に相当――であるが、文献学的に調べるとこの単語にはアプレイウス以前にはほとんど用例がなく、アプレイウスがこの作品のために curiosus「好奇心の強い」という形容詞からわざわざ造った抽象名詞形であると考えてよい。

ことのついでに触れておけば、『黄金のろば』にはもう一ヵ所、第二巻にも、短いながら似たパターンの話が出てくる。女神ディアーナの水浴姿を覗き見しようとしたアクタイオンという男が罰として直ちに鹿に変身させられてしまうという比較的有名な神話伝説があるが、その様子を刻んだ石像を、まだろばになる前のルーキウスが目にするのである。この伝説自体は以前から知られていたが、アプレイウスはアクタイオンの心理描写としてやはり「好奇心」のモチーフを持ち込み、半分は鹿の姿にされながらもいまだに「好奇心に満ちた視線で身を乗り出している」と描写している（二・四、ただし使われているのは形容詞形）。

このようにさまざまな側面を確認した上で話を戻せば、やはり『黄金のろば』という作品には、「好奇心」というモチーフを鍵に、人間の魂（プシューケー）の遍歴と救済をめぐる哲学的・宗教的な思想が隠されていると考えないわけにはいかないのである。

キリスト教グノーシスの隆盛

アプレイウスが活動していたのと同じ時代、すなわち紀元二世紀後半、誕生して間もないキリスト教会では、総称的に「グノーシス」とか「グノーシス主義」と呼ばれるさまざまな異端的流派が広がりを見せていた。キリスト教グノーシス主義に共通する特徴として第一に挙げられるのは、目に見えるこの世界を、それを創造した神を含めて蔑視し、排撃する点にある。この世界を造ったのは、キリスト教正統派の教えでは旧約聖書(=ユダヤ教聖書)の神であるが、この創造神を敵視する以上、正統派=多数派から異端視されるのも当然である。

ではこのグノーシス主義は何を信奉するのか。それはこの世界の外、あるいはその上にあるいわば「上位世界」、そしてそこに位置している「至高神」である。そして人間の霊魂も、もともとはこの上位世界、別名「プレーローマ」の出身であり、現在はこの世界に幽閉されている形になっている。人間の身体もこの世界の一部として蔑視されるのである。そこで、霊魂が身体を含むこの世界から解放され、故郷である上位世界に戻ること、それがグノーシス主義者にとっての「救済」となる。そして、こうした事情を人々に啓示するために上位世界から派遣されてやってきたのが救済者イエス・キリストだったのだと説明される。

人間にとっては、自分自身のこのような本質に目覚めること、それを「認識」することが、救われるための必要条件になる。「グノーシス」という言葉は古代ギリシア語で「認識」「知識」を意味するごく普通の単語だが、これが特定の宗教思想を指して術語的に使われるのは、右のような救済理解のためである。

ここでひとつ理論的な問題が生じてくる。「至高神」と「創造神」の関係である。前者が後者より価値的に上位に立つのは当然だが、両者は本質的に無関係なのだろうか。とすれば、一種の二神教、あるいは二元主義に帰着することになる。実際にそのように説いたグノーシス流派もあったが、万物を一元的・一神教的に説明する理論的・哲学的な志向の強い流派は、「至高神」から「創造神」に至る系列関係を説明しなければならなかった。このために各教派が知恵を絞ってさまざまな神話を考え出したのだが、その中でも特に有名なのが、二世紀後半（第三四半世紀）に活動したプトレマイオスという人物による宇宙創成神話である。なお、ほぼ同時代に活躍した「大天文学者」プトレマイオス（英語名トレミー）とは無関係な人物である。

プトレマイオスの理論

詳しくは次章で紹介するのでここではごく簡単に済ませるが、プトレマイオスの理論によれば、まず最初に至高神と「エンノイア」なる女性的な存在がペアをなしており、そこから順次、「アイオーン」と総称される神々がそれぞれ男女のペアで流出し、「テレートス」と「ソフィア」（知恵）のペアに至るまで、合計三〇のアイオーンが成立する。こうして「上位世界」に相当する「プレーローマ」という安定した組織が完成する。

ただし、この中には一定の階列関係があり、至高神を直接に眺め、知ることができるのは至高神から直接に流出した「ヌース」（叡知）というアイオーンだけであり、その他のアイオーンは至高神を見知りたいとひそかに願いながらも、それぞれ自分の位置にとどまっている。

さて、どうしてこの安定した状態が崩れて「創造神」やひいては「この世界」が生まれてきたのかという問題であるが、プトレマイオスはこれを次のように説明した。すなわち、最下位のアイオーンであった「ソフィア」が、大胆にも、至高神を直接に知ろうと企てたのだという。当然、この企ては失敗し、ソフィアは絶望のあまりプレーローマから転落しかかってしまう。そこへ「ホロス」という存在が登場して彼女の転落を食い止め、過ちを悟った彼女は、心に抱いていた自らの「情念」を切り離してプレーローマの外に捨てる。

こうしてソフィアは救われ、プレーローマ内の元の位置に落ち着くのだが、他のアイオーンが同じようなパトスにとりつかれて再び離反事件を引き起こすのを未然に防ぐため、ヌースから新たに「キリスト」と「聖霊」のペアが流出し、至高神の不可知性をあらためて各アイオーンに通達する。それによってプレーローマ全体に安息がもたらされる。他方、この「キリスト」がプレーローマの外に投げ捨てられているソフィアの「情念」を哀れみ、それに形を与える。そしてこれが創造神の、そして人間を含む「この世界」の起源になる。

つまり、プトレマイオスの理論によれば、創造神とこの世界はソフィアの向こう見ずな好奇心から――文字どおり――「生まれ落ちた」産物なのである。こうして、至高神と創造神を関係づけるという問題が解決し、さらに、この世界の中になぜ至高神の領域＝プレーローマに帰属する要素が含まれているのかが説明されたことになる。ソフィアの「情念」はあくまでソフィアというプレーローマ構成員から出たものであり、そのため、わずかとはいえ、プレーローマの要素が混入していたのである。これが、今でも人間の肉体に閉じこめられて解放を待っている「霊魂」「本来的自己」「光の粒子」にほかならないということになる。その後、プレーローマからキリストが派遣されて覚醒ないし自己認識（グノーシス）を呼びかけ、それに応えた霊魂たちがプレーローマへと次々に帰還する。これが完了すると、物質世界は燃え尽きて消滅することになる。

ソフィアの役割——『黄金のろば』との共通点

以上の簡単な紹介からだけでも、プトレマイオスの理論において、ソフィアが決定的に重要な役割を担っていることが見て取れるだろう。しかもそれは、自らの過失によって大きな障害を引き起こしてしまい、結局すべてはその後始末になってしまうという非常にネガティブな役割である。そして、ソフィアが過失を犯した原因はといえば、彼女がしかるべき限度を超えて至高神を知ろうとしてしまったこと、つまり一種の好奇心であった。

他方、過失がどのように解決されるかという面でいうなら、転落しかかったソフィア自身は至高神をはじめとするプレーローマからの助け（「ホロス」の派遣）によって救われ、またその際にいわば非常手段として切り離された「情念」に由来する「光の粒子」たちも、プレーローマから派遣される救済告知者によって物質世界から救いだしてもらうことになる。

こうしてみると、理論ないし話のパターンがアプレイウスの『黄金のろば』と驚くほど同じだということがわかる。プトレマイオスにおけるソフィアとアプレイウスにおけるプシューケーおよびルーキウスは、いずれも自らの好奇心によって破滅しかかるが、自分より上位の存在（それぞれプレーローマ、アモル神、イシス女神）からの恵みによって助けてもらう。もう少し踏み込んで言うなら、自分から知りたがるという「好奇心」が悲劇を招き、相手から知らせてもらうという「啓示」が救いをもたらすという構造が共通している。

ヘレニズム神秘思想

こうした共通点は、本書で詳しく説明することはできないが、宗教史・思想史の分野においては「ヘレニズム神秘宗教」「ヘレニズム神秘思想」に遡《さかのぼ》る。その名のとおり、アレクサンドロス「大王」の大帝国が出現して以降、つまり紀元前四世紀末から、ギリシア世界とオリエント世界との垣根が取り払われ（あるいは垣根が低くなり）、それまで各地で独立していたさまざまな文化や思想が互いに融合をはじめた。そしてこのころから、人間が神を認識するのは本来的に不可能だという考え方が登場してきた。比喩的にいえば、神が遠くに去って隠れてしまう。現代的な哲学用語を借りれば、神の「超越」度が増す。そしてそれと引き替えに登場してくるのが「啓示」というモチーフ、つまり、だから神の方が自らを人間に示し、人間を救うのだという観念である。

なぜそうなったのか、その原因をひとつに特定するのは難しい。判断の根拠とすべき史料が少ないという問題もあるが、もともとさまざまな理由が複合していたのであろう。宗教の個人化（ポリスの共同祭儀がなくなる）、オリエント系宗教の伝統的な傾向（ギリシア的・哲学的な要素の不在）、懐疑主義的な哲学の流行（プラトン派も含む）など、いくつものファクターが考えられる。

ともかく、こうして「ヘレニズム神秘宗教」と総称されるものが生まれ、ヘレニズム世界に、そして後にはローマ帝国の支配圏に広まっていく。地理的な震源地を挙げれば、それは何といっても当時の文化的首都、まさにアレクサンドロス大王が建設を命じ、名付け親ともなった、ナイル川河口の町アレクサンドリアであった。それまでのすべての文化が流れ込み、その後のすべての文化がそこから流れ出したといっても過言ではないこの古代都市とその歴史については、最近、日本でも幾冊か本が出版されている。

なお、好奇心もしくは知への過剰な欲求が人を破滅させるという話を耳にして、ドイツの作家ゲーテ（一七四九〜一八三二）の『ファウスト』を連想する読者がおられるかもしれない。実は、このヘレニズム神秘思想は古代を経て中世でも生き続けていた。ゲーテが利用した「ファウスト伝説」は一六世紀ごろに形成されたものらしいが、その思想的根幹は、紀元前のヘレニズム時代にまで遡るのである。

アプレイウスとプトレマイオス

さて、ここで少し話を整理しておこう。アプレイウスの『黄金のろば』とプトレマイオスのグノーシス主義的ソフィア神話には、「好奇心」を否定して「啓示」を肯定するという宗教的・哲学的なパターンが共通している。両者とも二世紀後半（第三四半世紀）という同じ時期に活動した人物であり、どちらも当時最高の哲学的・文学的な教養を身につけていた。しかし、ギリシア語で著作活動をおこなったキリスト教徒プトレマイオスのグノーシス主義始源神話と異教哲学者・弁論家アプレイウスのラテン語で書かれた小説との間に、直接の依存関係は考えられない。つまり、どちらかがどちらかの作品を読んでアイディアを借用したということはありえない。したがって、両者とも、それぞれ独自に、ヘレニズム神秘宗教に由来する考え方を知り、それを自分のものとしたのである。

しかし、そうだとすれば、二人が同時代人であるということに深い意味はないのだろうか。ヘレニズム時代から連綿と続いていた考え方を、たまたま紀元二世紀という同じ時代に居合わせたアプレイウスとプトレマイオスがそれぞれ採用した、というそれだけのことなのだろうか。

そうではない。実は、二人の間の本当の共通性は、思想内容もさることながら、同時に、それを表現する形式において顕著なのである。というのは、両者とも、ドラマチックな物語という形でそれぞれの思想を表現した。正面から「人間というものは……」という説教をおこなうのではなく、プシュケー(およびルーキウス)とソフィアという登場人物に、人間一般を代表させた。言い換えれば、アレゴリーという手法を用いて、宗教や哲学を物語や神話というメディアに乗せたのである。

そして、まさにこの点が、紀元二世紀という時代と深く結びついている。この点を説明するため、いったんテーマを変えて話を続けることにしたい。

「我々はどこから来たのか……」

フランスのパリに生まれた画家ポール・ゴーギャンがタヒチ島に移住後の一八九七年に描いた作品に、「我々はどこから来たのか、我々は何者か、我々はどこへ行くのか」と題された油絵がある。画家自身が、カンバスの左上隅に、このタイトルをわざわざ書き込んでいる。ゴーギャンの作品としては最大のサイズで、現在ではアメリカのボストン美術館に所蔵されている。

この絵に関する美術的な詳細は関連する専門書に任せるが(たとえば湯原かの子『ゴーギャン』、講談

「我々はどこから来たのか，我々は何者か，我々はどこへ行くのか」
（ポール・ゴーギャン　ボストン美術館）

社、一九九五）、それにしても印象的なのが、このタイトルである。「我々はどこから来たのか、我々は何者か、我々はどこへ行くのか」。長いということだけでなく、名詞や名詞句ではなく文を、しかも疑問文を表題に選ぶということも、芸術作品としてきわめて異例のことであろう。この作品の知名度が非常に高いのは、絵そのものもさることながら、タイトルのユニークさにもかなりの部分を負っているのだろう。この絵にあまり共感しない、あるいは興味がないという人でも、表題だけはいろいろなところで目にしないわけにはいかないのが実情だというべきかもしれない。

実際、「我々はどこから来たのか……」という言葉は、現代でもさまざまな機会で引用され、利用されている。中には、インターネットの公式サイトで、学部の専攻内容を紹介するのにこれを使っている大学まで見られる。このようなケースでは、大部分、ゴーギャンがこの言葉の考案者であるように説明されている。現代に対する直接的な影響力を考えれば、無理からぬことではある。しかし、それは正しくない。決してゴーギャンがこの問題定式そのものを発明したわけではないのである。

テオドトスの断片

美術史家の研究では、おそらくゴーギャンは知人を通してこの定式を知ったのだろうという。それはともかく、実際には、このような問題の立て方が、昔からよくおこなわれていた。中間は飛ばして、さっそく、その中で最も古い時代に属する言葉を紹介する。

我々は誰だったのか、我々は何になったのか。我々はどこにいたのか、我々はどこに投げ込まれたのか。我々はどこに向かうのか、我々はどこから解放されるのか。誕生とは何か、再生とは何か。

これは、二世紀後半に活動したテオドトスという人物が書いた言葉の一部である。このテオドトスはウァレンティノス派と呼ばれる一派に属する、キリスト教グノーシス主義者である。テオドトスなるこのキリスト教異端教師の著作そのものは伝わっていないが、おそらく三世紀に入ったころ、正統多数派教会に属するアレクサンドリアのクレメンスという人物がテオドトスの著作を読み、多少のコメントを付けつつ、抜き書きを作成した。その中に、右に引用した言葉が見つかるのである（正確な出典箇所はアレクサンドリアのクレメンス『テオドトス抜粋』四・七八）。

クレメンスのテキストによると、テオドトスの右の言葉は、おおよそ次のような文脈に位置していた（以下、かなり自由な意訳である）——「人は、洗礼を受けるまで、宿命の力によって支配されている。しかし、洗礼だけが人間を自由にするのではなく、次のことについての認識（グノーシス）もまた欠かせない。すなわち……（ここに右の引用文が入る）……についての認識が（人間が自由になるためには）欠かせないのである」。

「宿命（ヘイマルメネー）」とは、グノーシス主義のコンテキストでは、この世界において人間を束縛しつづけている敵対的な力のことである。いわば、厭《いと》わしいこの世界ないし宇宙を機能の点から言い換えたのが「宿命」である。救済とは、つまるところ、その束縛から解放されることと同義である。キリスト教徒であるテオドトスは、当然、しかるべき効能を洗礼というキリスト教に伝統的な儀式に求めているわけだが、それだけではなく、救われるためには「グノーシス」を得ることも必要なのだという。「グノーシス」、つまり「知識」もしくは「認識」、それが救済の不可欠な条件だというのである。「グノーシス主義」というものが掲げる問題意識の典型的な例として、このテオドトスの言葉がしばしば引用され、さらには、これこそがグノーシス主義の特質であるとまで理解されてきたのも無理はない。

とするなら、ゴーギャンの大作も、ある意味、グノーシスの影響下にあるのだというべきだろうか？　ところが事実はそう単純ではない。なぜなら、「我々はどこから……」という問いかけは、実は、テオドトスの発明でもなく、グノーシスの専売特許でもなかったからである。

ローマの詩人ペルシウス

一世紀に活動したローマの詩人に、ペルシウス（後三四〜六二）という人物がいる。ちょうど皇帝ネロの時代、また有名なストア派哲学者セネカと同じ時代に、やはりストア派哲学の影響を受けて時代風刺的な作品を残した詩人である。若くして死んでしまうが、六編の『風刺詩』が残存している（六番目の詩は未完成）。風刺詩の伝統の中では、大詩人ホラーティウス（前六五〜前八）とローマ風刺詩の代表者ユウェナーリス（後一世紀後半〜二世紀前半）――「健全な肉体に健全な精神を」というモットーで有名――の間をつなぐ位置にある。この人物の作品第三番に、次のようなパッセージが見える。

ああ、哀れな者たち、学べ、そして事物の理をも知っておけ。
我々は何なのか、何を生きるべく生まれるのか、
どのような（人生の）順序が与えられているのか、その穏やかな終点は
どこにあって、どうすれば到達できるのか。
財産の適量はいかほどか、何を望むべきか。無慈悲な金銭に
いかなる益があるのか、祖国や愛する近親者に
どれほどの金額を贈与するべきか。
神は、君に、どのような者であれと命じたのか、そして、本当のところ、
君は人間世界のどの部分に置かれているのか。

（ペルシウス『風刺詩』三・六六〜七二）

とりあえず言葉づかいの面からも、ただちに、先ほど紹介した「我々はどこから来たのか……」という言葉とかなり似ていることに気づかされる。文脈は、財産や出世といった世俗的なこと、また健康や病気といった一時的なことにではなく、日常的な暮らしの現場から一歩退いて、右のような事柄

に目を向けてみたらどうかね、という風刺的なメッセージである。金銭の問題が特にクローズアップされているのは、ペルシウス自身の生きていた社会環境から、また同時に「風刺詩」という文学ジャンルにおける常套手段（金銭への執着や性の乱れを指弾すること）から説明できる。しかし、「我々は何なのか」という根本的な人間理解・自己理解の問いかけ、そしてこれをダイレクトな質問文をたたみかけていくという形で表現するという手法を、紀元後一世紀のローマという場所で、ともかくペルシウスが知っていたのである。

アウグスティヌスの回答

ペルシウスという詩人は、昔も今日も、ローマ文学史における超大物というほどの評価は受けていない。しかし、その作品は連綿と読み継がれていたらしい。これは、かなり時代が下った五世紀に入って、なんとキリスト教の超大物アウグスティヌス（三五四〜四三〇）が、ペルシウスを、しかも右に引用したまさにこの箇所を、大著『神の国』において引用していることから推定できる。

しかし……貪欲を引き留め、野望を砕き、贅沢を抑制するべく神々が何を命じているのか、そのような事柄を人々が耳にするための場所が（キリスト教以前のローマにおいて）どこにあったのか。哀れな人々が、ペルシウスが次のように言って「学べ」と叱りつけている事柄を耳にするための場所が、一体どこにあったのか。

「ああ、哀れな者たち、学べ、……」（ここに、右の引用文がすっぽりと入る――筆者注）言ってもらいたい。神々が人々を教えて下したようなこの種の命令が（人々の前で）唱えられ、その神々を崇拝する人々がこれに繰り返し耳を傾けていたという場所が、どこにあったというのか。これに対して、キリスト教の信仰が広まっているあらゆる場所に建てられている教会を、我々の側では、指し示すことができるのである。

（アウグスティヌス『神の国』二・六）

アウグスティヌスはここでペルシウスを引用、つまり利用しているわけだが、そのやり方はかなり屈折している。つまりアウグスティヌスは、ペルシウスが提示している主張そのものの正当性は完全に認めながら、同時に、キリスト教以前のローマではそれが実際にはまったく相手にされていなかったのだと断言する。これに対して、キリスト教会はこの問題に対してちゃんと回答を人々に提供しているのだと誇るのである。

ここで湧いてくるのは、ほかならぬペルシウス自身がキリスト教を知らない異教時代のローマ人であったという点を、アウグスティヌスがどう考えていたのかという疑問だろう。これは、アウグスティヌスが『神の国』において、特にキリスト教を弁証するその前半部分において、異教の伝統とどのように対決しているのかという大きな問題につながっていく。したがって、詳しい議論は専門の参考書に任せる。ともかく、とりあえず重要なのは、異教徒ペルシウスによる定式そのものをキリスト教徒のアウグスティヌスが正面から自信をもって受け止めていること、つまり、この問題提起の普遍性をアウグスティヌスが（暗黙のうちに）認めているという点である。

「我々はどこから来たのか」──問題の普遍性

結局、実質的に同じ問題提起を、二世紀のキリスト教グノーシス主義者テオドトス、一世紀のローマの詩人ペルシウス、そして五世紀のキリスト教教父アウグスティヌスの三者が、それぞれ自分ないし自分たちの問題として受け止めていたということがわかる。アウグスティヌスはペルシウスを利用しているが、ギリシア語圏のテオドトスがラテン語で書かれたペルシウスの詩を読んでいた可能性はゼロに等しいので、いつごろからかはわからないが、「我々はどこから来たのか……」「我々は何なのか……」というスタイルの人間論的な問いかけが、言語圏や宗教・宗派を越えた普遍的な現象になっていたらしいと想定できる。思想的な源流をたどれば、「汝自身を知れ」というギリシア古典時代よりもっと古い、それこそ西洋太古のモットーが連想されるが、深入りしない。ここでは質問文を羅列するという印象的な表現形式も重要なので、その存在を確認できる紀元後の時代に話を限っておく。

繰り返すが、「我々はどこから来たのか……」という問いかけは、ゴーギャンの発明でもなければ、キリスト教グノーシス主義者テオドトスの発明でもなく、またペルシウスの発明でもなかった。いつごろからか（紀元後一世紀ごろから？）流布を始めた、かなり普遍的な問題意識であり、問いかけだったのである。今まで引用した範囲で年代順にまとめるなら、まずペルシウスが、これを当時のローマ社会を風刺するために使った。次にテオドトスが、独自のキリスト教理解からこの問いに答えようと試み、またそれによって、この問題意識を共有する人々を宣教のターゲットに据えた。そしてアウグスティヌスは、この問題に答えるものこそ、ローマの伝統的な神々ではなく、キリスト教の神とその教会にほかならないのだと説いた。

さらに時代を飛び越えて続けるなら、一九世紀末の画家ゴーギャンが、自分の代表作をもってこの問いに答えようとした。そして現代でも、先に触れたとおり、とりわけゴーギャンの作品とそのタイトルを中継点として、この伝統的な問題提起が実にさまざまな場面で（真剣にであれ、表面的にであれ）継承され、利用されている。こうした歴史を——時代を飛ばしたりせず、因果関係や依存関係を整理しながら——綿密にたどる作業は、誰か生産的で視野の広い文化史・思想史研究を志す人がいるなら、ぜひとも取り組んでみる価値のある仕事のひとつだろう。

二世紀における宗教的哲学の流行——再びアプレイウス『黄金のろば』

さて、紀元二世紀に話を戻そう。結論を先取りするなら、ちょうどこの時代こそ、一般に「人間とは何か」を問う宗教的・哲学的な問題提起とそれに対する回答の試みが、他の時代にもまして広く大衆的に流行した時代であった。右に名前を挙げた中ではテオドトスがこの時代に属しているわけだが、テオドトスのみならず、ほかならぬこの時代に花開く「キリスト教グノーシス」の全体が、まさにこうした時代の要求にキリスト教の側から応答しようとする運動であったとも位置づけられる。

キリスト教だけではない。先ほどからかなり詳しく紹介している「プラトン哲学者」アプレイウスは、他の誰にも劣らないほど、紀元二世紀におけるこの傾向を体現する人物であった。すでに説明したとおり、アプレイウスの代表作『黄金のろば』は、「好奇心」というキーワードを軸に、全編の主人公であるルーキウスや挿話「アモルとプシューケー」の主人公である少女プシューケーのたどる運命に暗示させる形で、まさに「人間論」を展開している。そして、グノーシス主義キリスト教徒プトレマイオスの神話も、すでに触れたように、同じくアレゴリーというテクニックを使って、宗教的な思想を物語という形で「読ませよう」と試みたのである。

改めて、次のように考えてみよう。アプレイウスはなぜ、この作品を書く際に、あえて小説ないし童話という文学ジャンルを選んだのだろうか。哲学をやりたいなら、最初から哲学論文のようなものを書けばよかったではないか。あるいは、人間論を説きたいなら、ギリシア・ローマの伝統に従って、対話や書簡といった文学類型でも借りればよかったのではないだろうか。実際、アプレイウスは、『黄金のろば』のほかに、専門家向けの哲学的著作も残しているのである。

答えは、たったいま暗示したとおりである。文学の形式は、読者層と密接に関連している。『黄金のろば』は、より広い読者層に向けて、とりあえず娯楽だけを求めている人々をもターゲットにして書かれているのである。著者自身が作品の冒頭でそれを明言している――「……さあギリシア風の物語を始めますよ。読者さん、ご注目ご注目。楽しいですよ!」(『黄金のろば』一・一)。あたかも近所のお寺の境内で紙芝居でも始まるかのような科白《せりふ》だが、本当にアプレイウスはこのような前置きを書いてから、「わたしは仕事でテッサリアに行く途中だったんです」といって、一気に本題のストーリーに入っていく。確かに、語り方のスタイルはまさに娯楽小説というべきものである。紀元二世紀はまさに「古代小説文学」の最盛期であった。

哲学・宗教の大衆化

つまり、アプレイウスが『黄金のろば』においておこなったのは、アレゴリーないし象徴という手法を橋渡しに使って、独自の哲学的・宗教的なメッセージと流行の小説文学とを組み合わせるという試みであった。それが実際のところどの程度まで成功を収めたのか、つまり、『黄金のろば』の哲学書・宗教書としての側面が、同時代およびそれ以降の読者にどの程度まで認知されたのか、これは答えるのが難しい。すでに触れたように、五世紀になって『黄金のろば』を読んだキリスト教文学者フルゲンティウスは、時代錯誤的なキリスト教道徳主義的解釈に陥ってしまったとはいえ、ともかくこの作品の隠喩性に気づいた。フルゲンティウス以前にも、間違いなく、そういう読者は存在しただろう。

ただ、残念ながら、その直接的な証拠が残されていない。四〜五世紀のアウグスティヌスがこの作品を読んだことは確実だが——そもそも、この作品本来のタイトルである『変身物語』よりも『黄金のろば』という通称の方がすっかり有名になってしまったのは、アウグスティヌスが後者を用いたからである（『神の国』一八・一八・二）——、この物語の隠喩性に気づいたのかどうか、アウグスティヌス自身は何も語っていない。このほか、三〜四世紀のキリスト教学者ラクタンティウスやヒエロニムスもアプレイウスのこの作品について言及を残しているが、内容の解釈にまでは踏み込んでいない。

証拠がこのようにきわめて乏しいことを考えれば、『黄金のろば』の隠し持っていた人間論的なメッセージが、同時代や後世において幅広く認知されていたとは考えがたい。とはいえ、仮にこの作品が単なる娯楽小説としてしか、単なる童話としてしか一般読者に理解されなかったのだとしても、著者アプレイウス自身が抱いていたであろう目論見は、それはそれで認めなければならないし、それを可能にした時代環境もまた、正当に評価される必要がある。

つまり、哲学的・宗教的な人間論を、論文や仮想の書簡や架空の対話篇といった伝統的な枠組みに収めるのではなく、娯楽小説という流行中の一般読者向けメディアに乗せてみるというコンセプト、これをアプレイウスは思いつき、実行した。当然、成功する見通しがあるとアプレイウスは踏んでいたのであり、実際、それを促すような環境が多少とも整っていたはずである。簡単に言えば、アプレイウスの時代、娯楽小説の読者層と、哲学や宗教に関心を抱く読者層とが、相当に重なり合っていたのである。

継承と発展の時代

一般論として、特定の時代や地域において哲学や宗教に対する人々の関心が高かったからといって、そこで生み出された哲学ないし宗教の質が高かったということにはならない。ここで「質」というのは、とりあえず、地域や時代を越える普遍性をそれが獲得したかどうかという、客観的に検証可能な意味である。われわれが問題にしている紀元二世紀のローマ帝国も、特に独創的な思想を生み出したというわけではなかった。正確に言うなら、この時代に何か思想的に新しいものが出されていたのだとしても、それはあらかた忘れられてしまった。むしろ、二世紀という時代は、哲学・宗教が大衆化した時代、通俗哲学の流行を特色とする時代であった。

もちろん、独創的なもの、新しいものだけを偏重するのもまた、誤りである。この時代は、知識の大衆化という状況を背景に、それまでの時代の思想的遺産を整理し、継承し、発展させるという重要な役割を果たした。アプレイウスは、自身が特に独創的な思想家だったわけではないが、プラトン哲学を起点に、イシス教をはじめとする各種の宗教思想を積極的に取り入れ、それを専門家向けにも、そして――『黄金のろば』の場合には――一般の人々にまで紹介しようとした。

同じように、ガレノス（一二九～一九九）は医学を、クラウディオス・プトレマイオス（英語名トレミー、九〇ごろ～一六〇ごろ）は天文学や星座体系を集成した。文学では、フロントー（一一三以前～一八〇以前）という弁論家がこの時代に登場してアプレイウスを含む多くのラテン語著作家に影響を及ぼしたが、フロントーがおこなったのは、一種の文体的復古運動であった。そしてこのフロントーを教師として育ったローマ皇帝マルクス・アウレリウス・アントニーヌス（一二一～一八〇、在位一六一～一八〇）は、『自省録』という本を残し、現役の皇帝かつ哲学者という歴史的にも稀な立場から、ストア派の哲学のいわば掉尾《とうび》を飾ることになる。

キリスト教も、この時代、外にも内にも大きな発展を遂げた。外とは、ローマ帝国各地における布教の成功ということだが、これは、ちょうどこの時代、宗教的なメッセージに対する人々の欲求が非常に高まっていたという状況の賜物である。イシス教、ミトラ教、キュベレー祭儀といった東方起源の密儀宗教が勢力を伸ばすのと並行して、キリスト教も着実に勢力基盤を固めていった。

その中からキリスト教だけが後の時代にも生き残っていくことになるのは、キリスト教だけが非・密儀的な、社会に対してオープンな姿勢を貫いていたことに一因がある。しかしこの問題はここでは扱わない。ともかく、イエスや使徒たちが活動し、キリスト教という宗教が誕生したのはあくまで一世紀であり、それもパレスチナや小アジアという辺境地帯であった（特にユダヤあたりは、周知のとおり、絶望的に厳しい時代を迎えていた)。しかし、その宗教運動を継承し、養分に満ちた土壌を提供してその成育を支えたのは、二世紀のローマ帝国だったのである。

これと並行して、内側つまりキリスト教内部における理論や教義の本格的な構築も、ちょうどこの時期に始まった。これが、やはり哲学や思想への一般的な関心の高まりを背景にしていたことは言うまでもない。たとえば、ローマで活動したユスティノスという人物は、若いときから哲学とりわけプラトン哲学の修養を積んでいたが、あるときにキリスト教徒の老人と出会ってキリスト教に触れ、自分もキリスト教徒になり、キリスト教の教義を理論的に——当然、プラトン哲学の枠組みから——構築しようとした。一六〇年すぎに殉教死を遂げるこのユスティノスは、正統多数派教会サイドの人物としては、一般向けのキリスト教史概説において最初に——正統教会サイドの——神学者、つまり「学者」として名を挙げられる人物である。

このユスティノスのケースを利用して、一言、補足を加えておきたい。現代においては、宗教と哲学の間に、漠然とではあれ、ある種の境界線が引かれている。哲学は理性の領域、宗教は信仰の領域というように、あくまで両者は区別されるべきものだと一般に了解されている。しかし、古代においては状況が違っていた。ユスティノスにとって、哲学研究とキリスト教信仰の間に断絶はまったく存在しなかった。「真の哲学」イコール「キリスト教」という関係なのである。

もちろん、この等式がほぼ二〇〇〇年後の今日においてそのまま成立するわけではないし、古代においても、自然的な理性と啓示に基づく信仰を区別する考え方はあった(パウロは、『第一コリント書』冒頭部で、「この世の知恵」と「神の知恵」を対立させている)。しかし、哲学も宗教もあくまで「真理」

を追究するものであって、その真理はひとつしかないのだから、アプローチの方法論は二次的なもの、任意に組み合わせたり融合させたりしてかまわないものだというポジティブな、あるいは楽観的な姿勢が当時は支配的であった。哲学思想の中でも、プラトン哲学にピタゴラス派が融合し、さらにストア派をも吸収していくという現象がこの時代に起きたし、また宗教同士の混淆《こんこう》もまたごく普通におこなわれる時代だったのである。

社会の安定と繁栄

こうした思想界の流れが一般大衆の側からの広い関心を背景にしていたことは、すでに何度も暗示したとおりである。孤立主義や純粋主義は、思想活動が閉塞している時期や地域ならばかえって生き延びることができても、時代が活発に動いている状況では、すぐに押し流されたり埋没してしまった——このように説明できるのかもしれない。

それはともかく、知的関心の一般的な高さという状況のさらに背景に、社会の安定と平和という幸運があったことは言うまでもない。紀元二世紀という時代は、ローマ帝国がいわゆる「五賢帝」の時代を迎えて版図が広がり、国内も安定して人々が物質的に最も豊かな生活を送った時期であった。ギボンという一八世紀イギリスの歴史家がこの時代を「人類史上最も幸福な時代」とまで呼んだという話は、一般にもかなり知られている。

その前の世紀に成立したばかりの新興宗教であったキリスト教が社会の中に浸透し、後の世界宗教へと発展する土台ができあがったのも、繰り返すが、この時期のことであった。歴史に「もし」は禁物だといわれるが、もし生まれたばかりのキリスト教の二番めの世紀が紀元前一世紀の「内乱の世紀」、あるいは紀元後三世紀以降のローマ帝国が解体に向かう時代にぶつかっていたとしたら、キリスト教は社会の混乱の犠牲となって歴史の舞台から消え去っていたかもしれない。エイレナイオスやオリゲネス、エウセビオスといった古代のキリスト教徒自身も、キリスト教最初期の時代におけるローマ帝国の社会的安定が宣教に役立ったことを認め、これを全能なる神による意図的な配慮と見なしている。

紀元二世紀のローマ帝国が「人類史上最も幸福な時代」であったという話に戻るが、幸福度をほかと比較することには意味がないけれども、やはり九六年に即位したネルウァ帝から一八〇年に没したマルクス・アウレリウス帝まで、皇位継承が血筋ではなく人間重視でおこなわれた「養子皇帝時代」、つまり「五賢帝」の時代は、全体として、人々が安定して余裕のある生活を送っていたことは間違いのないところだろう。

個々の地域では、もちろん、さまざまな混乱や紛争があった。たとえば、キリスト教の故郷であるユダヤでは一三二〜一三五年に第二次ユダヤ戦争、別名「バル・コクバの乱」が起こり、エルサレムが（またしても）壊滅した。また、キリスト教徒迫害も各地で散発的に起こっている。ストア派哲学者でもあったマルクス・アウレリウス帝は、キリスト教徒を嫌っていた。

また特にこのマルクス・アウレリウスの治世の末期には、政治的、経済的、対外的に深刻な問題が、次第に表面化しつつあった。一般に「五賢帝」の時代という言葉で一括してしまうけれども、歴史が非連続的に変化するわけがない。五賢帝以降に混乱の時代が続くとすれば、その端緒は当然、五賢帝時代のうちに出ていたはずである。しかしまた逆に考えれば、五賢帝時代の社会的な落ち着きが、最後の「賢帝」が死んだとたん、一夜にして転覆したとも考えられない。

これまで、「紀元二世紀」という言葉を、それが五賢帝時代と完全にオーバーラップするかのように無造作に使ってきたが、厳密には、一八〇年で区切るべきかもしれない。しかし、今触れたように、一八〇年という時点で線を引いたからといって、それが特に合理的であるというわけでもない。とりあえず、学界の一般的なコンセンサスでもあるので、これからも「紀元二世紀」という表現を使うことにするが、あくまで大まかな目安だということは了解していただきたい。

ともかく、こうした平和な時代、明日をどうやって生き延びるか、今日死んだ家族や友人縁者の葬式をとりあえずどうやって済ませるか、といった本当に切迫した問題から人々が解放されている時代、そういう時代にこそ、娯楽小説文学のようなものが大衆的に流行するだけでなく、また思想や哲学、宗教といった文化的な事柄も人々の積極的な関心を集め、学習され、発展していく。「我々はどこから来たのか、我々は何なのか、我々はどこへ行くのか」——こういった反省的で抽象的な意識が人々の間に広まるような社会は、人々が現実の死や破滅と毎日のように直面していた社会ではありえないのだろう。

さて、一世紀にパレスチナで生まれてローマ帝国に持ち込まれたキリスト教のメッセージが、このような二世紀という時代を背景として、どのように受容されたか。その具体的な結果のひとつが、次章以降で詳しく紹介する「キリスト教グノーシス」である。

第二章　ヴァレンティノス派

1　ヴァレンティノス派のプトレマイオス

ヴァレンティノス派——主要人物と原典資料

二世紀の半ばから後半にかけて、これまで見てきたような時代を背景として、キリスト教グノーシスの有力な教師たち、正統多数派教会の立場から言えば「大異端者」たちが続々と登場する。ヴァレンティノスとその弟子たち、バシレイデース、そしてマルキオンがその代表格である。ヴァレンティノスの弟子たちは別にして、ヴァレンティノス本人、そしてバシレイデース、マルキオンという互いに直接的な関係を欠く三人がほぼ時を同じくして出現したことは、それだけでも、キリスト教グノーシスの隆盛という現象そのものが、時代や社会状況と深く結びついていたことを暗示している。

この人々こそがキリスト教における最初の神学者であり、ユスティノスやエイレナイオスをはじめとする反異端論者、すなわちグノーシスに対する反発として自分の立場を固めていった人々が、正統多数派的なキリスト教神学の始祖、後に「教父」「教会教父」と呼ばれる存在になる。この意味で、正統多数派キリスト教神学がグノーシス主義の異端を反駁《はんばく》したというよりは、グノーシスを反駁することを通してはじめて正統多数派の神学が形成されたという方が正確である。この問題については後に論じる機会があるだろう。さて、この章ではヴァレンティノスとその弟子たち、中でも特にプトレマイオスについて、そしてそれぞれ章を改めてバシレイデースおよびマルキオンについて、多少とも

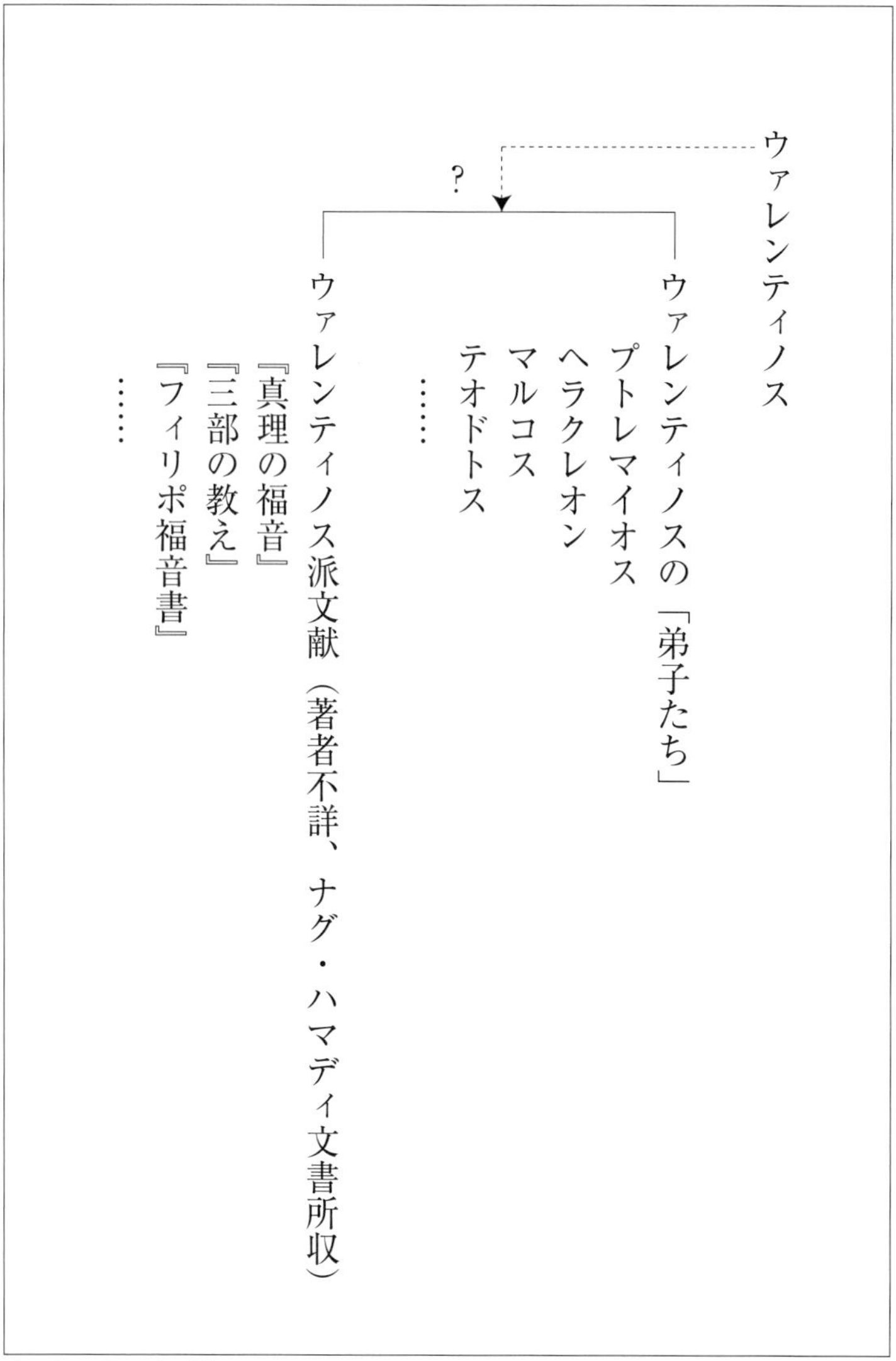
ウァレンティノス
?
ウァレンティノスの「弟子たち」
プトレマイオス
ヘラクレオン
マルコス
テオドトス
……
ウァレンティノス派文献（著者不詳、ナグ・ハマディ文書所収）
『真理の福音』
『三部の教え』
『フィリポ福音書』
……

ウァレンティノス派

詳しく調べてみることにしよう。

ヴァレンティノスとその弟子たちという回りくどい言い方をこれまで何度か使ってきたが、これはバシレイデースやマルキオンに弟子がいなかったという意味ではない。弟子がいたことは誰でも同じであり、そもそも学派を形成したからこそ正統多数派教会にとって深刻な脅威になったのである。にもかかわらずヴァレンティノスだけを特別扱いするのは、この人物の場合にのみ、皮肉なことに弟子たちの方がそれぞれ一家をなして有名になってしまい、師匠本人の影が薄くなっているためである。

そこでまず弟子たちの方からだが、ヴァレンティノスの弟子たち、あるいは「ヴァレンティノス派」として知られている人物の中で有名かつ重要なのは、ヘラクレオン、プトレマイオス、マルコス、そして前の章で少し紹介したテオドトスである。この四人については、それぞれかなりまとまった量の資料が残っている。もちろんヴァレンティノス派からはほかにも多くの人名が伝えられているが、実在したのかどうかわからない人物、言い換えれば、実在したとしてもしなかったとしても大勢にまったく影響のない人物が多く含まれており、その一方で、有名な歴史的人物ではあるが、そのためにかえってヴァレンティノスの弟子ではなかったことの確実な人物が、誤ってヴァレンティノス派に帰されている事例もある（シリアのバルダイサンなど）。つまり、言い伝えの細かいところは非常に不確かなのである。しかし、いずれにしても、この派の隆盛を推し量るには右記の四人だけでも十分すぎるほどである。

これに、人物ではないが、ナグ・ハマディ文書の中のいくつかが付け加わる。ナグ・ハマディ文書について、詳しくは本書巻末の付録を参照していただきたい。その中のひとつである『真理の証言』

という文書には「ウァレンティノス」という名前が登場する（邦訳では第Ⅲ分冊の一六一頁）。しかしこの文書はパピルス破損のために保存状態が劣悪なので、内容があまりよくわからない。むしろ重要なのは、ウァレンティノスやその弟子の名前こそ明示されないものの、他の資料との比較からウァレンティノス派に属する作品であると推定され、かつ保存状態が良好で、内容をある程度までちゃんと読むことのできる文書である。具体的には、『真理の福音』『三部の教え』そして『フィリポ福音書』を挙げることができる。『真理の福音』に至っては、学説としては少々無理のようだが、ウァレンティノスその人が著者だとまで唱えられたことがある。

ウァレンティノス派についての言い伝えで、詳しい文献では必ず紹介されるのが、学派の分裂という事態である。ウァレンティノス派は西方派（イタリア派）と東方派（アナトリア派）に分かれていたというのである。右に挙げた四人についていえば、最初の二人が西方派、テオドトスが東方派に分類されている。反異端論者ヒッポリュトスは、分裂の原因として、イエス・キリストの身体性についての解釈を挙げている（『全異端反駁』七・三五・五以下を参照）。これは本当だろうか。本当かどうかというのは、ウァレンティノス派の教師たちがこういった仲間うちのライバル関係を意識していたのか、あるいは反異端論者の側が、相手の教説を見て、便宜的にこのような分類を導入したのだろうかという問題である。ヒッポリュトスは、「イタリア派」や「アナトリア派」という呼び名は「彼ら自身による」と記している。とすれば、前者が正しいことになる。

しかしこの種の情報は、反異端論者の文献では総じて当てにならない。「勝つためにはまず敵を知れ」ではないが、反異端論者は敵を「知る」、「知ったつもりになる」あるいは「知っていることにする」

ための手段として（一般信徒である読者に与える効果はどれでも基本的に変わらない）、相手を歴史的に系統化することによって「事態を掌握」しようと努める。魔術師シモンを「すべての異端の始祖」に仕立てるのもそのための戦術であり（詳しくは第五章参照）、ヴァレンティノス派の分裂も、もとをただせば正統多数派教会サイドの誰かが（現存しない著作で）持ち込んだアイディアであった可能性が高い。敵側のグループが分裂しているという指摘も、定見を欠くからこそ起こる失態だというわけで、反異端論者が好んであげつらったトポスのひとつであった。

もちろん、われわれがヴァレンティノス派の各メンバーを教説内容の観点から比較・整理しようとする場合に、たとえば（ヒッポリュトスの挙げる）キリストの身体性の解釈という点を試薬として用いることは方法論的に有効である。しかし、その結論として生まれる理念的な分類を、ヴァレンティノス派の歴史的な推移・展開と短絡的に結びつけて分裂と見なしてしまうのは誤りだろう。

プトレマイオスという人物とその意義

さて、このヴァレンティノス派はいったいどのような教えを奉じていたのだろうか。そこで、最も詳しい情報が残されているプトレマイオスという人物およびその教説を、ここで本格的に紹介してみよう。すでに第一章でも引き合いに出した人物である。

キリスト教古代の人物、ましてや異端側の人物は、生没年を確証できない場合がほとんどであり、プトレマイオスにしても例外ではない。プトレマイオスという名のキリスト教徒がローマで殉教したという話をユスティノスが伝えており（『第二弁明』二）、これが実はグノーシス主義者プトレマイオスのことなのではないかと考える研究者がある。それが正しければ、ユスティノスの記述から判断して、死（殉教）の時期を一五〇年代と判断することができる。しかし名前の一致以外の根拠が実質的に皆無なので、この説を積極的に採用するのには無理がある。とりあえず、ウァレンティノス派のプトレマイオスは二世紀半ばに活動していたという程度のことしかわからない。

このプトレマイオスの著作として、一通の手紙が原文のまま伝えられている。フローラというキリスト教信徒の女性に宛てて、旧約聖書の律法とは何かという問題を平易に解説した手紙である。この文書が残存しているのは、四世紀の反異端論者でサラミスの司教であったエピファニオスが、プトレマイオスを反駁する目的で、この手紙を全文、あるいは少なくともほぼ全文、引用してくれているためである（『薬籠』三三）。

この『フローラへの手紙』から読み取れるのは、まずプトレマイオスが（少なくとも本人の意識の中では）正真正銘のキリスト教徒であったこと、すなわちイエス・キリストを奉じていたこと、そして、非常に高い知性と教養を備えていたということである。知性や教養という点は、論旨が明快に整理されており、かつそれが見事なギリシア語散文で表現されていることに表れている（本書第一章も参照）。この貴重な原典資料を後世に伝えてくれたエピファニオスに感謝しなければならないが、余談ながらも、この司教がそれに対しておこなっている反駁の部分を読むと、内容といい文体といい、その知的レベルの低さがいやでも目立ってしまうという皮肉な結果になっている。

この手紙はおよそ次のような意味の言葉で結ばれている——「この教えは、これからも、あなた（フローラ）にとって非常に大きな助けになるでしょう。もしあなたが、美しく良質な大地が純正の種子を受け入れる場合のように、この教えを通して得られる果実を実らせるならば」（同書三三・七・一〇）。

ここから、プトレマイオスとフローラの間にキリスト教を媒介とする師弟関係があったことのほか、この手紙におけるプトレマイオスの教えがいわば入門（「種子」）にすぎず、その背後に本格的な理論が控えていることを読み取ることができる。後者に対応するのが、おそらく、二世紀末の反異端論者エイレナイオスが報告する「プトレマイオスの神話」である。

その内容を紹介する前に、もう少しだけ背景説明を加えておきたい。奇妙なことに、エイレナイオスはこの神話を大著『異端反駁』の冒頭でいきなり、しかも非常に詳細に紹介している。冒頭に持ってくるからには、それだけ敵対者として重視していたことになる。なぜエイレナイオスは、敵の総師ウァレンティノスではなく、弟子のプトレマイオスをこの位置で紹介したのだろうか。プトレマイオスがウァレンティノスの弟子、ウァレンティノス派の一人にすぎないことは、誰よりもエイレナイオス自身が固く信じているのである。もちろんエイレナイオスは後から「ウァレンティノス自身」の神話も説明しているが、著作のコンテキストからは、プトレマイオスの教説に対する補足程度の位置づけしか与えられていない。

このような扱いになった理由は、直接的にはごく単純で、エイレナイオスの入手できた異端情報の中で、プトレマイオスに関するそれが質量ともに群を抜いていたからであろう。しかし、さらにそれはなぜだったのかを考えてみると、エイレナイオスやその周辺の人々にとっては、プトレマイオス派こそが重要な敵であった、ウァレンティノス自身はそれに較べてすでに——生存していたかどうかはともかく、影響力の点で——過去の人物になっていたということになるだろう。先にウァレンティノスは（バシレイデースやマルキオンと異なって）弟子たちのおかげで影が薄くなってしまっていると書いたが、その具体例のひとつがこれである。

プトレマイオスをはじめとする有名な弟子を数多く出しながら、名前はともかく、その教説内容についてはまともに反駁さえしてもらえなかったウァレンティノスという教師は、いったいどういう人物だったのだろうか。本当に「師弟関係」が存在したのだろうか。あるいは、「ウァレンティノス」とは、一群の異端者を系列化するために、極端に言えば「ウァレンティノス派」という言い方を可能にするために、誰かが「そういう人がいたことにした」だけの、歴史的な実体を欠く記号のようなものだったのだろうか。

この「ウァレンティノス問題」には本章の最後でもう一度戻ってくることにして、これから紹介するプトレマイオスの神話であるが、右のような事情から、学界ではこれをウァレンティノス派を代表する理論体系として扱っている。この体系が、伝承されている中では理論として最も完全な形を示しており、ウァレンティノス派を研究する際のいわば座標軸として選ばれるのが常である。他のメンバーの理論は、プトレマイオスのこの体系との一致ないし相違という点から位置づけされる。

残っている情報がたまたま多いからといってプトレマイオスをこのように中心点に据えるのは便宜的にすぎるのではないかと感じられるかもしれないが、実在しない、つまり実在した証拠のない理念的な体系を出発点に据えて理論を組み立てるのは砂上の楼閣になる危険があるので、このやり方が方法論的に最も健全である。先にウァレンティノス派のオリジナル資料があると述べたが、たとえば『真理の福音』その他のナグ・ハマディ文書をウァレンティノス派のものだとする判断にしても、それは本文に「ウァレンティノス派何某著」などと書いてあるからではなく、プトレマイオスの体系との内容的な比較に基づいて下されるのである。この点についても、章末で具体的に説明する予定である。

2　プトレマイオスの教説

プトレマイオスの教説①――プレーローマの成立

さて、いよいよこの「ザ・ウァレンティノス派」の神話だが、まず神々の系図から始まる。なお、これから引用文の形で書くのは、エイレナイオスのテキストそのままではなく、そこからエイレナイオスの付け加えた言葉（「……だとプトレマイオス派は言っている」など）を取り除き、さらに余計なところは飛ばして読みやすくしたものである。文献学的に正しい引用方法ではないが、ご了解いただきたいと思う。

> 見ることも名付けることもできない高みに先在したアイオーンがある。これはプロアルケー（原初）とも、プロパトール（原父）とも、ビュトス（深淵）とも呼ばれる……彼と共にエンノイア（思考）もあり、これはカリス（恩寵）ともシーゲー（沈黙）とも呼ばれる。そしてある時……
>
> （エイレナイオス『異端反駁』一・一・一）

「神々の系図」と右に書いたが、プトレマイオスや他のウァレンティノス派、さらに他のグノーシス派も、こうした系図で整理される各々の神的な存在を「アイオーン」と呼んでいる。これは本来「時代」や「世代」を意味するギリシア語の単語であり、もともと時間的な概念だが、日本語の「時代」という言葉にも似て、それぞれの「時」と密接に結びついた「世界」のありようを指すこともできる。また「今のこの時代」と対照的な「あの時代」という意味で、来るべき時代、「永遠」を指すこともある（現代の日本では、スーパーマーケットのチェーンや英会話学校がAEONというラテン語形を企業名に使っている）。

グノーシスの神話ではこの言葉が人格化ないし神格化されているわけだが、その用法の発生を言語史的・思想史的に追跡するのは難しい。いずれにしても、ウァレンティノス派固有の用語ではない。

「シリア・エジプト型」グノーシスと「イラン型」グノーシス

最初のアイオーンは男性的な存在であり、「最初の」もしくは「〜よりも先」を意味する「プロ」という接頭辞のついた呼称が示すとおり、これが文字どおり「原初」、グノーシスや宗教学一般の用語でいえば「至高神」である。ただし、次の「エンノイア」がこの「原初」から出てきたとは書いていないという点が注目に値する。「彼と共に」いたとあるだけだからである。これはテキスト伝承の誤りなどではない。なぜなら、新しいアイオーンが「流出」するというプロセスは、この後から開始されるからである。

……そしてあるとき、このビュトスは「万物の初め」を自身の中から流出しようと考えた。そして……この流出を……シーゲーに、ちょうど種子を母胎の中に置くようにして置いた。シーゲーは妊娠してヌース（叡知、理性）を生んだが……彼だけが父の偉大さを捉えるのであった。このヌースはモノゲネース（独り子）ともパテール（父）とも「万物の初め」とも呼ばれる。そして彼と共にアレーテイア（真理）が流出した。

したがって、最初の女性的神格エンノイアは至高神――ビュトスやプロパトールとも呼ばれるこの存在については、以下、説明文では「至高神」という呼称で統一することにする――と同じだけ古いのである。しかしヌースが生まれる際、女性であるエンノイアはまったく受動的な機能しか果たさず（これが古代一般の出産観であった）、イニシアティブをとるのは男性の至高神ひとりである。この意味でプトレマイオスの体系は一元論的であり、このように、万物の由来を物語る神話を一元論的に形成するタイプのグノーシスは「シリア・エジプト型」、それに対して二元論的に始まるタイプは「イラン型」と分類される。これはグノーシス研究に一時代を画したハンス・ヨナスの発見ないし発明だが、今日の学界でも一般に受け入れられている。イラン型のグノーシスとは、マニ教に代表される、善と悪をともに最初から存在した対等かつ対立的な原理として物語るタイプである。

悪の起源という問題はグノーシスにつきものだが、プトレマイオスの体系をはじめとするシリア・エジプト型のグノーシスでは、この段階ではまだ悪が存在しない。逆にいえば、どこで悪が出てくるのか、つまり唯一の至善なる至高神からどうやって悪が出てくるのか、もしくは「秩序の破れ」「不和」

が出てくるのか、この点をめぐるストーリーの展開が、これからの見どころになる。

「対」の構造と「救済論」への集中

ところでエンノイアが最初から存在していたという話に戻るが、エンノイアは悪ではないので、いずれにしてもマニ教タイプの二元論とは無関係である。なぜプトレマイオスは、エンノイアも至高神から流出したことにして、一元論としての体裁を完璧にしなかったのだろうか。

少々専門的になるが、ウァレンティノスやウァレンティノス派よりも前に「バルベーロー・グノーシス」という流派があり、ウァレンティノス（派）はこれを手本あるいは参考にして体系を組み立てたのではないかという有力な仮説がある。そして「バルベーロー・グノーシス」の神話体系は厳密な意味で一元論的であり、二番目に登場する女性的神格「バルベーロー」（原義不詳）は原初的な男性的神格（至高神）から流出してくることになっていた。したがってプトレマイオス（もしくは師匠のウァレンティノス）は、この仮説に従うなら、最初から至高神とエンノイアをペアとして配置することによって、一元論としての体裁をむしろ意図的に放棄したということになる。

右に引用した部分には「彼と共にアレーテイア（真理）が流出した」とあるが、これに限らず、プトレマイオスの神話ではすべての存在が男女の対をなしている。そして、「男女《おめ》」とか「対《つい》」とか「伴侶」という言葉がこの後何度も繰り返される。これは単なる趣向の問題ではなく、また男女平等の思想とも関係がなく、実は、「悪とは何か」そして「人間の救済とは何か」という後になって出てくる重大な問題を説明するための伏線なのである。

この仕掛けが後でどのように働くのかは後回しにして、ひとまずは順序を追って進むことにするが、それにしても、厳密な一元論を犠牲にしてまでも男女のシンメトリックな対構造に、ひいては救済論にこだわるプトレマイオス（あるいはヴァレンティノス）の体系は大胆であり、特筆に値する。

「プレーローマ」

これまでに四つのアイオーンが出てきたが、この後も神格の発生が続き、最後には数が三〇になる。それぞれが前述のように男女の対をなしているので、対の数は一五である。少し細かく見れば、いわば一五対のアイオーンがただ一列に並ぶのではなく、まず最初の八つがひとつのグループを形成する。その中の五番目と六番目（ロゴスとゾーエー）から七番目と八番目（アントローポスとエクレーシア）が流出するのだが、ロゴスとゾーエーからはほかに一〇個＝五対、そしてアントローポスとエクレーシアからは一二個＝六対のアイオーンが生まれる。つまり後の方の一〇個と一二個は、それぞれ、内部的には親子ではなく兄弟同士の関係にある。非常にわかりにくいが、具体的な名称も含めて、次頁に掲げる図を眺めていただきたい。なお、簡略のため以下では触れないが、最初の二個および四個のアイオーンにも、それぞれ「二つ組」「四つ組」という呼称がわざわざ与えられている。

この三〇個、もしくは三〇人のアイオーンによって構成される世界をプトレマイオスは「プレーローマ」――訳せば「充満領域」――という言葉で呼ぶ。この「プレーローマ」という用語は、プトレマイオス派やヴァレンティノス派だけでなく、他の流派のグノーシス主義でも広く使われている。そのため、今日のグノーシス研究においても、被造世界を超越した「上位世界」のような意味のテクニ

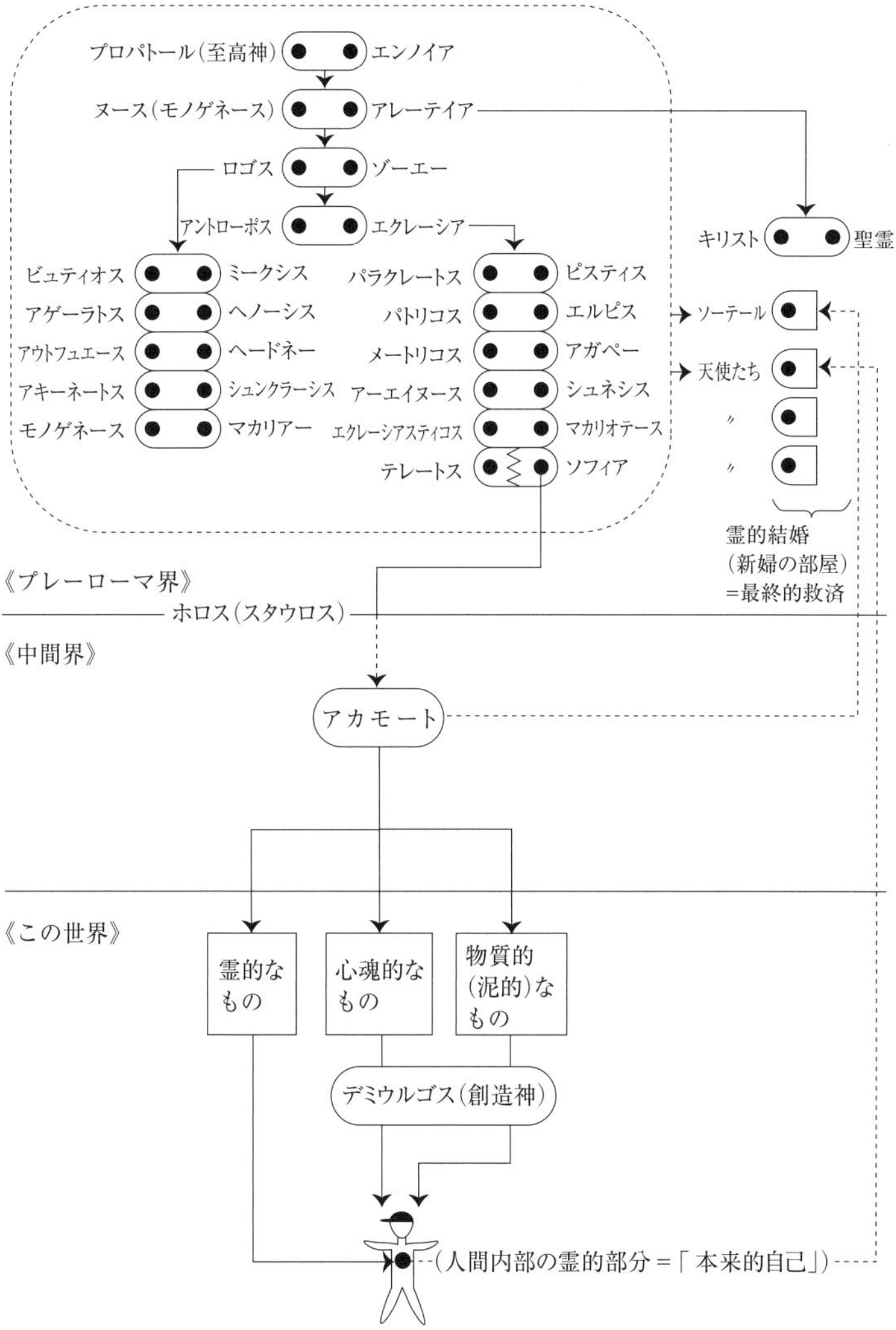
プロパトール(至高神)
エンノイア
ヌース(モノゲネース)
アレーテイア
ロゴス
ゾーエー
アントローポス
エクレーシア
ビュティオス
ミークシス
アゲーラトス
ヘノーシス
アウトフュエース
ヘードネー
アキーネートス
シュンクラーシス
モノゲネース
マカリアー
パラクレートス
ピスティス
パトリコス
エルピス
メートリコス
アガペー
アーエイヌース
シュネシス
エクレーシアスティコス
マカリオテース
テレートス
ソフィア
キリスト
聖霊
ソーテール
天使たち
〃
〃
霊的結婚
(新婦の部屋)
=最終的救済
《プレーローマ界》
ホロス(スタウロス)
《中間界》
アカモート
《この世界》
霊的なもの
心魂的なもの
物質的(泥的)なもの
デミウルゴス(創造神)
(人間内部の霊的部分=「本来的自己」)

ウァレンティノス派プトレマイオスの神話図

カルタームとして利用されることが多い。再び話を先取りすれば、この世界が人間の「本来的自己」の故郷であり、この世界に戻ることが人間の最終的な救いとなる。

プトレマイオスの教説②——ソフィアの転落

プトレマイオスの教説においてプレーローマの完成の後に来るのは、ソフィアの転落という事件である。物語として、そして救済論の理論体系として、この出来事が全体の核心に位置する。この部分は第一章でも簡単に紹介したが、ここで詳しく説明しよう。

ソフィアは女性的なアイオーンで、三〇番目、すなわち最後に出てきた神格である。厳密にいえば、男性的アイオーン「テレートス」と一緒に、一五番目の「対」として出現した存在である。「ソフィア」とは——日本では四谷にある上智大学の英文正式名称がSophia Universityであり、したがって「上智」と訳されている部分だが——ギリシア語で「知恵」を意味する。「フィロソフィー」すなわち「哲学」という言葉にもこの単語が隠れており、philo-の部分が「愛」を意味するので、全体として「知恵への愛」という意味だということは広く知られている。

ソフィアの夫にあたる「テレートス」だが、日本語にすれば「欲せられる者」ほどの意味である。「知恵」ほどの基本的で重要な抽象概念ならばともかく、この程度の何の変哲もない名詞や形容詞が人格化(神格化)されるのは、グノーシスないしそれに類する哲学的創作神話に特徴的な手法である。以下に見るように、「欲せられる者」とはまさに受動的な、神話における役割そのものを示唆するだけの呼び名である。言い換えれば、この男性的な神格には独自のアイデンティティーというものがない。

しかしこれは他のアイオーンについてもいえることで、先に挙げた図からも見て取れるように、普通の名詞を無理やり人格化して大文字書きしただけのようなものが大多数である。「三〇」という数字の呪縛《じゅばく》ともいえる。数をそろえなければならないからである。そう考えれば、テレートスは物語の主役にあたるソフィアの伴侶に選ばれただけでも幸運なわけだが——しかしソフィアはテレートスを欲しなかった。浮気の理由は、ほかならぬ至高神である。

プロパトール（＝至高神）はモノゲネースすなわちヌースにのみ認識される。その他すべてのアイオーンには不可視であり、把握不可能である。ヌースだけが父を眺めて楽しんでおり、その計り知れない偉大さを考察して歓喜していた……（それをヌースは）残りのアイオーンたちにも伝達しようと思い巡らしていた。だがシーゲーがヌースを制止した。父（＝至高神）の望みに従って、彼らの……プロパトールを探求しようという思いと憧れを鼓舞しようと欲したからである。だが……最後の最も若いアイオーン、すなわちソフィアは一線を踏み越えてしまった。伴侶たるテレートスとの抱擁なしにパトス（情熱）に取りつかれたのである……（ソフィアの離反は）愛を口実としていたが、わきまえのない行動だった……このパトスとは父の探求である。ソフィアは父の偉大さを把握したいと欲したのである……（その結果）彼女はひどい苦闘に陥り、絶えず自分を前に伸ばそうとした……しかし彼女はホロスによって制止され、固められた。そして、ようやくのことで我に返り……それまでの思い（エンテューメーシス）を、激しい驚きのために後から生じたパトスと一緒に捨てた……彼女は（テレートスとの）対に復帰した。

（エイレナイオス『異端反駁』一・二・二〜四）

ホロスとは「境界」を意味する単語であり、例のごとく神格化されている。「十字架（スタウロス）」その他の別名もある。これがプレーローマの番人であり、ソフィアがまるごとプレーローマから転落してしまうのを食い止めたというわけである。

問題はソフィアの行動である。至高神を直接に見て知っているのはヌースだけであり、ヌース以降に出現したアイオーンにはそれが許されていない。あえて憧れだけにとどめさせておくのが、至高神とエンノイア＝シーゲーの望みであったという。ところが最後の、つまり三〇番目のアイオーンであるソフィアだけは、至高神への愛に捕らえられてしまい、一線を踏み越え、テレートスのもとを去って一人で至高神を知ろうと企てる。ところが、その「計り知れない偉大さ」に直面して驚愕し、知ることができないという現実と、それでも知りたいという欲望とのはざまで苦悶し、プレーローマから転落しかかってしまう（方向関係が逆のようにも見えるが不問にする）。人格崩壊、それどころか存在崩壊の危険が迫る。

ソフィア自身はホロスによって辛うじて救われるが、もちろん、話がこれで終わるわけではない。それどころか、まさにここから始まるのである。またまた話の先取りになるが、右の引用ではさりげなく「捨てた」とされているもの、結局はそこからこの世界、創造神、そして人間が生まれてくる。そしてそれを、厳密にいえばその中のしかるべき部分を、再びプレーローマの中にすくい取ること、それがプトレマイオスのグノーシスにおける救済論、言い換えれば世界および人類の歴史の目的になる。

プトレマイオスの教説③――「ソーテール」と「天使たち」の流出

転落したソフィアがホロスによって救い出され、テレートスとの対に復帰したことまで話が進んだわけだが、ここで、一見すると単なる飾りのように見えつつ、実は最後の最後になって大きな意味を帯びてくるエピソードが置かれている。とりあえず、大筋のところを引用しておく。

その後、モノゲネースは父の計らいに従って再び別の対を流出した。それは、アイオーンたちの誰かが、ソフィアと似たことを被らないためであった。これが「キリスト」と「聖霊」である……キリストは彼らに「対」の本性を……教えた……他方、聖霊は彼らに……感謝を教え、真の安息を導き入れた……。

この恵みに対する感謝として……全プレーローマは一致団結し……それぞれの持つ最も美しいものを持ち寄って……ひとつにし、完全なる美、プレーローマの星……すなわち「イエス」を流出した。このイエスは「ソーテール」(救い主)……とも呼ばれる。また、その護衛役として……同族の天使たちが一緒に流出された。

(エイレナイオス『異端反駁』一・二・五〜六)

簡単に繰り返せば、「キリスト」と「聖霊」という新しい対が流出してプレーローマ内部に安定をもたらし、その返礼として、諸アイオーンが一丸となって「イエス」もしくは「ソーテール」を、そしてその付き人として「天使たち」（複数！）を流出する。注意すべきは、「ソーテール」と天使たちが対をなしているわけではない、という点である。どちらにも伴侶がいないのである。対があってこそ安定するはずのプレーローマなのに、ここで急に「ひとりもの」がたくさん出てしまうのはなぜだろうか？　答えは先のお楽しみである。

プトレマイオスの教説④——三元素と宇宙／世界の成立

ソフィアがホロスによってプレーローマの中に引き戻され、これによってプレーローマ内部は（一応の）落ち着きを取り戻した。これからは基本的にプレーローマの外部が話の舞台になる。その出発点は、ソフィアが外部に残してきた「思い」（エンテューメーシス）である。これが例によって人格化され、「下なるソフィア」、あるいは「アカモート」と名付けられる（『異端反駁』一・四・一）。「アカモート」という言葉は、ヘブライ語の「ホクマー」あるいは「ホクモート」に由来し、「知恵」という意味、つまりギリシア語の「ソフィア」と同義である。ユダヤ教では、ヘレニズム時代に入ってから、神と人間世界との間を橋渡しするものとして、人格化された「知恵」の存在を考える流れが出てきていた。その根本的な動機は、神の超越性を強調することにある。神がじきじきにこの世界に介入するのは、神の威厳にふさわしくないという考え方が広まり始めたからである。これは、ヘレニズム時代に普及を始めた神秘思想一般の流れと一致している。

こうして、この「知恵」を啓示の伝達者とする「知恵文学」が成立し（旧約正典『箴言《しんげん》』、旧約続編『ソロモンの知恵〈知恵の書〉』『ベン・シラの知恵〈シラ書＝集会の書〉』など）、また聖書（それ以前に成立していた部分）においては神が人間に自分の口で語りかけているような記述が無数にあるが、その際の本当の話し手は「知恵」なのだと再解釈された。こうしたヘレニズム・ユダヤ教のモチーフがプトレマイオスのこの箇所に流れ込んでいるわけで、いかにもシンクレティズム（諸教混淆《こんこう》）的だが、実はこの関係はもっと根が深く、そもそも「グノーシス」の起源（の一部）がこの「知恵文学」ないし「知恵思想」にあるとまで論じられている。この点は最後の章でも改めて触れることにする。

なお、一応忘れないでおいた方がいいのは、この神話を読んだプトレマイオス派のキリスト教徒は——そしてもしかしたらプトレマイオス自身も——「アカモート」の語源などは知らず、単なるエキゾチックな名前だとしか思っていなかっただろうという点である。ヘブライ語の知識などは、パレスチナ在住の生粋《きっすい》のユダヤ人を除けば、当時のローマ世界ではほとんど誰も持っていなかったからである。

さて、ここからの話は複雑で、また詳細が非常にわかりにくいので、要旨だけで済ませる。情動から物質が発生するという非常に面白いプロセスを扱っているのだが、特に興味のある方はプトレマイオス／エイレナイオスのテキストと格闘していただきたい。

アカモートにはこの時点でまだかたち（モルフェー）がない。そこで、まずプレーローマ内の「キリスト」が憐《あわ》れんで彼女に「存在に基づく」かたち——まだ「グノーシスに基づく」かたちではない、とわざわざ注記がある——を与える。その結果、アカモートは自分の惨めな境遇を知って動揺し、悲しみ、恐れ、落胆、無知といった感情（パトス）に取りつかれる。これらの感情から、物質あるいは「物質的なもの」が成立する。他方、自分の出自がプレーローマであることをキリストを通して知ったアカモートには、同時に「エピストロフェー」(立ち返り)という性向も生じる。このエピストロフェーから「心魂的なもの」が生み出される(エイレナイオス『異端反駁』一・四・一〜四)。

次いで、「ソーテール」がアカモートのもとへ遣わされ、今度こそ「グノーシスに基づいて」彼女にかたちを与える。アカモートはこれによってついに感情(パトス)から解放される。ソーテールと彼を取り巻く天使たちの姿を見たアカモートは、喜びのあまり「霊的なもの」を身ごもり、出産する(一・四・五)。

こうして「物質的なもの」「心魂的なもの」「霊的なもの」という三つの元素が出揃ったところで、普通の意味での世界創造が始まる。アカモートが「心魂的なもの」から「デミウルゴス」——プラトン哲学で創造神の意味——を造り、このデミウルゴスが「心魂的なもの」と「物質的なもの」から天地を創造する。ただしデミウルゴスはアカモートの存在や自分の由来については何も知らない。旧約聖書の神はこのデミウルゴスのことにほかならない。デミウルゴスは七層の天——天動説に基づいて、当時は土星までの惑星(月と太陽を含む)それぞれにひとつ、合計七つの天があると数えられていた——を造るが、自身は「ヘブドマス」すなわち(下から数えて)「第七」の位置に、そしてアカモートはその上、「オグドアス」すなわち「第八」の位置(＝恒星天)に座を占める(一・五・一〜二)。

プトレマイオスの教説⑤——人間の創造

人間は、「物質的」なものと「心魂的」なものだけでなく、これに「霊的」なものも加えて造られる。ちょっとわかりにくいかもしれないので、用語の方を先に説明しておこう。バックグラウンドにあるのは「霊」—「魂」—「物質」という三分法である。日本語には「霊魂」という言葉があるし、実際、霊と魂を区別しない考え方、すなわち「霊魂―身体」という二元論的な世界観・人間論も西洋古代から存在する。しかしここでは「霊」と「魂」を区別した上で、それぞれのギリシア語「プネウマ」と「プシューケー」から、形容詞形「プネウマティコス」および「プシューキコス」が造られている。もちろん、価値的には「霊」「霊的」の方が上位に位置する。日本語訳だが、「霊的」はともかく、なぜ「魂的」ではなく「心魂的」なのか、実は筆者もよく知らないのだが、ともかく定着している。「魂的」だと読み方が難しくなるからかもしれない。名詞の「プシューケー」も、「魂」ではなく「心魂」と訳すことがある。

残っている「物質的」（ヒューリコス）な元素だが、これには「泥的」という言葉も使われる。読み方が「ドロテキ」で奇妙だが、原語「コイコス」の直訳である。ギリシア語では「泥」を「コオス」または「クース」と言い、それの形容詞形である。価値判断をあからさまに示しているという点では、「物質的」よりもこの方がわかりやすい。

さて、人間を除く宇宙と世界がデミウルゴスによって心魂的なものと物質的なものから造られたのに対して、人間には霊的なものも加えられている。これは、アカモートが、何も知らないでいるデミウルゴスの中に、密かに霊的な元素を植え付けたからだという。アカモートは、心魂的なものと物質的なものの中からこの「種子」が育ち上がり、「完全なもの」――テキスト伝承に問題があるが、「完全なロゴス」と読むべきかもしれない――を受け取るようになることを狙っていた。

こうして、救われるべき「人間内部の神的な本質」「本来的自己」「火花」というグノーシス主義人間論のキャッチフレーズが、神話的・理論的に根拠を獲得することになる。繰り返しになるが、「霊的」な元素とは、かつてアカモートがソーテールと彼を取り巻く天使たちの姿を見て、いわば想像妊娠によって生み出したものだということを思い出しておこう。人間が造られるまでの神話が——旧約聖書の『創世記』などと較べて——異様に長かったわけだが、その代わり、ここまでくれば、もう救済の筋道についても大体の見当がついてしまう。専門的には「救済論が創造論を規定する」という言い方になるが、わかりやすい別の表現を使えば、グノーシス神話はつまるところ「長い前置きのついた救済物語」なのである。

別のバージョン——人類三階層論

ところでエイレナイオスは、この文脈で、敵対者すなわちプトレマイオス（派）の人間論として「三階層論」とでも呼ぶべき理論を紹介し、その反駁を始める（『異端反駁』一・六・二〜四）。この理論は、人類を三つの種族もしくはグループに分ける。分け方は「霊的」、「心魂的」、そして「物質的／泥的」な人間、つまり例の三元素に対応した分類である。そしてこの分類が、キリスト教に対する人間の姿勢と対応する。すなわち「霊的」なのはグノーシス主義キリスト教徒（＝自分たち）、「心魂的」なのは正統多数派教会のキリスト教徒、そして「泥的」なのが異教徒、つまり非キリスト教徒だというのである。

前段で説明した人間論は、三つの元素を人間の組成に適用していた。人間の身体やその他の物体は地水火風の四元素（古代）あるいは百いくつかの元素（現代）で構成されているというのと同じパターンの発想であり、ごく自然な議論展開である。これに対して、三元素論を人類の構成にあてはめるという考え方は、それだけでは理屈がうまく通らない。三元素のどれが最大の分量を占めているかに応じて各人を分類するのだろうか？　しかしそのような説明は書かれていない。とはいえ、この「三階層論」自体が非常に有名かつ興味深い考え方であること、そしてエイレナイオスが今の文脈で現にこの理論を紹介し、ちゃんと反駁もおこなっていることから、理屈や伝承の整合性という問題は後回しにして、この教説そのものから何を読み取ることができるかを考えてみよう。

　まず面白いのは正統多数派教会の位置づけだろう。自分たちを最上位に据えるのは当然として、正統多数派教会のキリスト教徒もまた、異教徒よりは上の位置に来る。つまり一般のキリスト教徒にも一定の評価が与えられているのである。これは、プトレマイオス／ヴァレンティノス派が一般のキリスト教徒を宣教の標的にしていたからだとも考えられる。最初から突っぱねてしまうのでは、取り入る隙がなくなってしまう。

　しかし、このランク付けから最も明らかに読み取れるのは、プトレマイオス派が自らをキリスト教として、ただし、いわば真のキリスト教として理解していたことである。これに対して、正統多数派教会のキリスト教は、いわば中途半端なキリスト教である。もしプトレマイオス派と正統多数派教会が「正と反」や「陰と陽」のような相容《あいい》れない関係にあるのなら、第三者である異教徒が中立的な真ん中の位置に来てしかるべきだろう。真ん中の異教徒を右と左から勧誘しあうような構図である。しかし、プトレマイオス派が採用するのは、このような左右対立型の構図ではなく、傾斜型の構図である。したがって、「正統」と「異端」という単純な二項対立の図式は、ここではまったく使えない。

これまでプトレマイオス派ないしウァレンティノス派がキリスト教グノーシスだということを当然のように見なしてきたが、これは、教説の中にキリスト教が本質的な構成要素として入っているという客観的な証拠だけでなく、当人たちが実際にそのように考え、そのように主張していたという「主観的」な証拠からも裏付けられるわけである。また、異教徒の立場から見れば、ウァレンティノス派キリスト教の前に正統多数派教会のキリスト教が介在していることになる。

ここで思い出されるのは、本章の最初の方で取り上げた、プトレマイオスがフローラという一般信徒の女性に送った手紙である。プトレマイオスは、この手紙で、専門的な教義を前面に出さず、一般的な神論を展開することに徹していた。内容的には、異教徒が読んでも理解できるような、つまり異教徒やユダヤ教徒向けの「キリスト教初歩」として機能できるような文書である。プトレマイオス派が異教徒を本当に「泥」と見なしていた、つまり宣教の対象として原理的に排除していたとは、時代的にも、まったく考えられない。とすれば、彼らは多数派教会のキリスト教を自派のキリスト教に対する入門編のようなものとして積極的に利用していたという可能性まで否定できなくなる。

逆に考えれば、このような敵対者を相手にする正統多数派教会側の対応の難しさが改めて思いやられる。論敵が真っ向から攻めてくるのなら迎え撃つのも簡単だろうが、中途半端だと決めつけられる一方で入門用には勝手に利用される――これでは立つ瀬がない。もっとも、このような見方をすると全体の大きな構図を歪めてしまうことになりかねない。正統多数派教会はその名のとおり大多数派のグループであり、グノーシスを含む「異端」は、正確にいえば「分派」、急進的な各種「セクト」の総称である。したがって、あえて現代的なたとえを持ち出すなら、正統多数派教会の悩みは、さまざまな「右派」や「左派」や「……派」に取り囲まれた「中道勢力」の辛さと較べるべきかもしれない。

整合性の問題

さて、保留しておいた整合性の問題に戻ろう。三元素論を人間の組成につなげるのか、人類の構成につなげるのかという問題である。すでに暗示したように、人類の構成の理論つまり三階層論の方を括弧に入れてしまえば、とりあえずこの問題は解決するように見える。プトレマイオスの神話の本筋は「三元素の成立」→「人間の組成」であって、人類の三階層論は本来の文脈を乱す異質な挿入だと考えようというわけである。事実、このような方向で解釈する研究者が多い。

だが、ここで詳しい議論を展開する余裕はないけれども、筆者の意見では、プトレマイオスないしプトレマイオス派は、人間の三元素組成論と人類の三階層論を両方とも主張していたのではないかと思う。エイレナイオス自身もまったくそのつもりで報告している。そもそも、われわれが論理の破綻《はたん》だと判断せざるをえないものを当事者たちがまったく意に介していなかったというケースは、古代に限らず、思想の歴史において少しも珍しいことではない。

なお、人類の三階層論は、プトレマイオス派だけでなく、ウァレンティノス派内外の他の流派にもあったらしい。他方、人間を霊・魂・身体に分ける三分法は、グノーシスに限らず、霊魂・身体の二分法と並んで、古代末期にかなり普及していた。したがって、どちらの理論にしても、プトレマイオスやウァレンティノスの独創ではないと考えられる。逆にいえば、プトレマイオスの教説を思想的源流をさかのぼるという形で分析的に研究することも必要になるだろう。

結局、こうした作業は本格的な「グノーシスの歴史」を書くということに行き着いてしまう。これは専門家の間でもいまだにまったく目処《めど》のついていない、究極の研究目標である。とりあえず、三階層論をひとつの例として、研究の現場でどのようなことが問題になりうるのかを紹介できたとすれば十分だろう。

プトレマイオスの教説⑥——人間の救済

人間が造られたばかりだが、プトレマイオスの神話はもうほとんど終わりであり、あとは「最後はどうなるのか」が説明されるばかりである。話の中心はもちろん人間の救済であり、一緒に「世の終わり」、つまりアカモート／デミウルゴスによって造られた宇宙と世界の終焉が物語られる。キリスト教神学や宗教学では、人間や宇宙・世界の行く末を扱う議論のことを「終末論」と呼ぶのが習わしになっている。

さて、種子がみな完成される時、彼らの母アカモートは、中間の場所（＝天上界）を離れてプレーローマの内部に入り、花婿であるソーテール……を受け入れる。それは、ソーテールと……アカモートの対が生じるためである。これが花婿と花嫁であって、全プレーローマが「新婦の部屋」である。そして霊的な人々は心魂を脱ぎ捨てて叡知的な霊となって……プレーローマの中に入り、ソーテールの従者である天使たちに花嫁として委ねられる。

（エイレナイオス『異端反駁』一・七・一）

「種子」については、同じ言葉が前段⑤の人間創成神話のところで使われていた。アカモートが「霊的なもの」を「種子」としてデミウルゴスに植え付け、そのため人間の中に「霊的なもの」が混入することになったのである。これがいよいよ救われることになるわけだが、物語は、あたかもこれまでの謎が一挙に解き明かされるような仕方で展開する。これまでのところで特に奇妙だったのは、指摘しておいたとおり、すべてが「対」をなすべきプレーローマの内部で、ソーテールには対がいなかったということである。そして、その代わり、ソーテールには天使たちが守護者（ここでは「従者」）として付き添っており、これらにも対がいなかった（右の引用では③の部分）。

それにちゃんと意味があったことを示すのが、この部分である。つまりアカモートがソーテールの伴侶に、そして——グノーシス主義者になったつもりでいえば——われわれ人間（の霊的な部分）が天使たちの伴侶になる。すなわち、ソーテールと天使たちが独身を守っていたのは、実はアカモートとわれわれを待っていてくれたからだったのである（なお、このように人間はすべて新婦すなわち女性の側に位置づけられる）。

さらにいえば、ここへきて、プトレマイオスの神話の隠されていた全体的な射程がドラマチックな形で明かされることにもなる。プレーローマの真の安定は、われわれがプレーローマに戻ることによって初めて回復する。ソフィアの過失を本当の意味で、最終的な意味で償うのはわれわれの帰還である。この物語を単なる神話、大昔の宇宙創成神話のつもりで第三者的な気分で読んでいた読者は、自分がいきなりその中に引き込まれ、最後のカギを握るような役を演じさせられているのを見て驚く。

テキストが読者に対して働きかける仕方、いわゆる「テキスト効用論」については専門家が理論的な考察をおこなっていると思うが、筆者は詳細を知らない。しかし具体例として、分野を問わず、西洋古典のテキストにおいてこのような仕方で読者を引き込む例がほかにあるのか、筆者には思いつかない。プトレマイオスがこのようなストーリー・テリングの技術をもっていたのだとすれば（おそらく本当にそうだったのだろう）、アプレイウスに勝るとも劣らない、実に見事なものである。

なお、この後に来るのはデミウルゴスおよび「心魂的なもの」が「中間の場所」にまで繰り上がってくる話、そしてこの世界を含む物質界がすべて燃え尽きて無に帰するという話である。さらに、これまでの教説を聖書のアレゴリー的解釈によって裏付ける議論がかなり長く続くが、これも詳しい言及は省略する。その代わり、「ヴァレンティノス派」という概念の問題とも関連するので、「新婦の部屋」という用語について少し論じた上で本章を閉じることにする。

「新婦の部屋」

アカモートの、そして人間の救済がソーテールおよび天使たちとの「結婚」によって実現するという考え方だが、救済を結婚に見立てること自体は、ギリシアやオリエントの古い時代の神話から見られる、その意味では伝統的な観念である。「ヒエロス・ガモス」すなわち「聖なる結婚」という意味のギリシア語が、宗教史学の術語として用いられている。これを特にプトレマイオスは「新婦の部屋」と呼んでいるわけだが、こちらは、どうやら（プトレマイオス派を含む）ヴァレンティノス派に特徴的な言葉づかいだったらしい。

ただし、この単語そのもの――ギリシア語では「ニュンフォーン」で、「新婦」にこだわらず「結婚の部屋」「婚礼の部屋」などと訳してもよいが、意味のポイントは結婚式のセレモニーの方にあるので、「初夜の部屋」だとちょっとまずい――には、新約聖書の『マルコ福音書』二章一九節とその並行記事（『マタイ福音書』九章一五節、『ルカ福音書』五章三四節）に用例がある。直訳すると「新婦の部屋の子ら」という言い方になっているが、これを「新共同訳」は「婚礼の客」、岩波書店の新しい翻訳は「新婚の部屋の子ら」と訳している。

文脈だが、「断食問答」という場面で、「あなたの弟子たちはなぜ断食しないのか」と問い詰められたイエスが、「花婿がいる間、『新婦の部屋の子ら』は断食しない、しかし花婿が取り去られるときには断食するだろう」という趣旨のことを答える。場面そのものが結婚式ではないということもあって、後の時代のキリスト教徒がこの言葉を比喩的・神秘的な意味で解釈しようとしたのは当然である。ナグ・ハマディ文書の中で最も知名度の高い『トマス福音書』も、語録七五において、「新婦の部屋」を救済の目的地点という意味で用いている（また語録一〇四は、右に挙げた正典福音書とほぼ同じ趣旨の言葉を、コメントなしで引用している）。

こうした流れの中で、ウァレンティノス派は「新婦の部屋」という聖書に由来する言葉を――宗教史的には「ヒエロス・ガモス」に相当するような救済理解を言い表すための――テクニカルタームにまで格上げしていたらしいというわけである。このことを最も印象的に示すのが、これもナグ・ハマディ写本の中に含まれている文書だが、『フィリポ福音書』である。

『フィリポ福音書』の救済理解

この『フィリポ福音書』は、そもそも祭儀行為を非常に詳しく扱うテキストである。具体的には、「洗礼」「塗油」「聖餐」「救済」「新婦の部屋」という五種類の儀式に言及がある（§六八、邦訳第Ⅱ分冊八四頁を参照）。いずれも、儀式として何が執行されたのかは、はっきりしない。「洗礼」や「聖餐」「塗油」はキリスト教正統多数派教会からのアナロジーで何となくイメージが湧くが、むしろそれは危険な予断なのかもしれない。「救済」――ギリシア語では「アポリュトローシス」で、原義を生かせば「贖《あがな》い」、あるいは「身請け」という訳も可能――になると、あまりにも漠然としていて、どのような儀式だったのか想像もつかない。ただし、いかにも重大そうな名称だが、この「救済」が最高段階の儀式だったわけではない。テキスト内部のさまざまな論拠から、最も重要なセレモニーが「新婦の部屋」であったことは疑う余地はないからである。

ではこの「新婦の部屋」とはどういう儀式だったのかという問題だが、これについても具体的な中身は不明である。学説としては、「聖なる接吻」をおこなったのだという説、そして何らかの「臨終儀礼」だったのだろうという説が有力なようだが、どちらにしても決定的な証拠はない。『フィリポ福音書』のテキストには何も具体的な説明がない。これは、著者や読者にとってはわかりきったことだったため、わざわざ描写してみせる必要がなかったということだろうか。発想を逆転して、『フィリポ福音書』の著者も（したがって読者も）本当のことは知らなかったのだと考えてみるのも面白いが、深入りしないでおこう。

ともかく、内容が何であれ、この儀式の意味づけは何度も示唆される。特に印象的な箇所をひとつ引用してみる。これは文書全体を締めくくる最後の段落であり、それ相応の重みがある。ここから、同時に『フィリポ福音書』独特の救済理解・礼典理解を読み取ることもできるだろう。

誰であれ、新婦の部屋の子となるなら、光を受けるだろう。誰であれ、この世界にいる間にそれを受けなければ、他の場所でもそれを受けることはないだろう……彼は模像において真理を受け取ってしまったのである……。

（『フィリポ福音書』一二七）

「光を受ける」というのは、もちろん、最終的な救済と同義である。「新婦の部屋の子となる」、すなわち「新婦の部屋」の儀式を受けること、それがその手段だというわけである。エイレナイオスが報告するプトレマイオスの教説との並行性は明らかだろう。この記述からもうひとつ読み取れるのは、これこそ『フィリポ福音書』に特徴的な点なのだが、「この世界にいる間に」救われなければ「他の場所でも」――つまり死んだ後でも――救われることがないという主張である。

プトレマイオスの教説では、そのまま読む限り、新婦の部屋＝プレーローマに人間（の霊的な部分）が入るのは終末の出来事であり、決して人がこの世にいるうちに起きるような事柄ではない。そもそも、宗教的な儀式というものは、何らかの理念的もしくは将来的な出来事を象徴もしくは先取りするという意味づけをなされるのが普通だろう。実際、『フィリポ福音書』もこの箇所で「新婦の部屋」のことを「模像」と呼んでいる。ところが、この文書は大胆にもこの主従関係を逆転する。この世における儀式としての「新婦の部屋」が終末論的な「新婦の部屋」の意義を乗っ取ってしまい、「模像」

において真理を受け取ってしまった」というパラドックスをあえて断言する。

救いが「すでに起きた」という感じ方は、専門用語では「現在的終末論」とも呼ばれるが、熱狂的な宗教体験にはつきもので、新約聖書の中にも認められる。これに対して、救いは（約束されているだけで）「まだ本当に実現してはいない」という冷静な考え方もあり、これは「将来的終末論」とも呼ばれ、こちらも新約聖書の中に証言がある。

特にパウロ、熱狂的な宗教家である一方で冷静な理論家という面をも備えていたパウロは、この「すでに」と「まだ」の緊張関係を熟知していた。もちろん熱狂的な面が強い人たちも多く（「霊的熱狂主義者」と呼ばれる）、たとえばコリントの教会で救いの現実性ばかりをひたすら説いて回っていたのも、こうした人々だったらしい。それに対する論駁《ろんばく》としてパウロが二通（実際はそれ以上）の『コリント人への手紙』を書いたのだが、このあたりの経緯は原始キリスト教史の教科書や専門書を参照していただきたい。

ともかく、後一世紀中ごろから存在した熱狂的なキリスト教徒が、後のいわゆる「キリスト教グノーシス」の先駆者であったことは間違いないだろう。『フィリポ福音書』末尾の言葉もこの延長線上にある。ただし、レトリックの鮮やかさ、パラドックスの大胆さという点で、これほど印象的な言葉はあまり例がない。

3　ウァレンティノスとウァレンティノス派

プトレマイオス派以外のウァレンティノス派について

最後に、プトレマイオス派以外のウァレンティノス派について簡単に触れておく。名前だけは、本章の最初に重要なものを挙げておいた。ここで詳しく論じないのは、もちろん紙幅のためもあるが、もうひとつ、本質的な問題があるためである。本章の最初でもちょっと触れたが、重要なことなので繰り返しておく。

たった今、「新婦の部屋」との関連でちょうど『フィリポ福音書』に触れた。この文書がウァレンティノス派に由来する、もしくは同派の周辺に由来するという学説は、ニュアンスの違いはともかく、研究者の間で広く同意されている。しかしその根拠は、つきつめればただひとつ、反異端論者の報告に基づいて一般的にウァレンティノス派と認められている教説と比較すると一致点が多いという点だけなのである。そして、その一致点の中で最も重要なのが、実は「新婦の部屋」という救済概念である。

さらに、『フィリポ福音書』に限らず、ナグ・ハマディ文書やその他の文献がウァレンティノス派であるかどうかの判断を下す際に使われる基準、すなわち「一般的にウァレンティノス派と認められている教説」というのは、ほかならぬプトレマイオスの教説なのである。これは、エイレナイオスが伝えるこの教説が同種のものの中で最も詳しく体系的で、かつ成立年代も古いという理由による。極端にいってしまえば、エイレナイオスのプトレマイオスこそ、ヴァレンティノス派の「デファクト・スタンダード」なのである。

したがって、右に「新婦の部屋」がヴァレンティノス派に特徴的な概念であり、特に『フィリポ福音書』がこれを明瞭に示しているという趣旨のことを書いたが、実はこれは循環論法である。『フィリポ福音書』で「新婦の部屋」という言葉が目立つからこそ、この文書がヴァレンティノス派に帰されるのである。もちろん、論拠すなわち並行例は他にもたくさんあるが、それによって根本的なロジックが変わるわけではない。『フィリポ福音書』そのものにヴァレンティノスの名が出てくるというわけではないのである。同じことが、『真理の福音』をはじめ、ヴァレンティノス派に帰される他文書にもすべて該当する。

反異端論者がヴァレンティノス派のものとして報告する情報は、（エイレナイオスの）プトレマイオス以外にも多数残されている。特に、先に名を挙げたヘラクレオン、テオドトス、マルコスなどにはかなりの量の証言、もしくは著作からの引用が残されている。それぞれの人物についての個別研究は、これまでもあったが、これからもしばらくは学界のトピックであり続けるだろう。しかし、こうした専門的・本格的な研究であっても、プトレマイオスの教説を常に参照しながらでなければ、方法論的に不確実もしくは不安定になってしまう。

というわけで、本章でヴァレンティノス派の神話教説を紹介するのに（エイレナイオスの伝える）プトレマイオスに重点を置いたのは、手っ取り早いというだけでなく、必然的な理由もあったのだという次第である。将来的にどういう動きが出てくるかはわからないが、現時点では、ウァレンティノス派を代表するのはあくまでプトレマイオスなのである。

ウァレンティノスはグノーシス主義者ではなかった？

最後の最後に、ウァレンティノス自身について触れておく。たった今、プトレマイオスを無視してウァレンティノス派を論じるのは不可能もしくは方法論的に不安定だと書いたばかりだが、最近、といってもいつのまにか十数年も前になってしまったが、ドイツで、ウァレンティノス自身に関する専門的・批判的な研究が出版された。それは『ウァレンティノスはグノーシス主義者だったのか？』という表題の学位論文である（詳細は巻末の文献案内を参照）。著者のマルクシースという人はその後も矢継ぎ早にさまざまな業績を挙げ、今では若くして世界を代表する教会史学者になっている。

この（その後の）大学者の学位論文は、よりによって、いわば「ウァレンティノスをウァレンティノスだけから理解する」という方針のもと、ウァレンティノス自身のものとして伝えられている断片が一〇ちょっとあるのだが、それを綿密に研究し、あえてそれだけからウァレンティノスの真の姿を突き止めようとした研究である。結論は、ウァレンティノスは別にグノーシス主義者ではなく、アレクサンドリアの学風を受け継ぐキリスト教哲学者だったということになっている。

この結論について、筆者は態度を留保しておきたい。いえるのは、ウァレンティノスとウァレンティノス派の区別をちゃんとつけておく必要があるという点で、これは、遅くともマルクシースの業績によって学界に周知徹底したはずである。問題のウァレンティノス像だが、筆者の腑に落ちないのは、マルクシースの方法論にある。ウァレンティノス自身の発言からウァレンティノスを理解しようという原則そのものには、もとより異存がない。というより、それこそアレクサンドリア文献学以来の古典学の基本である。

ただ、そのための原典資料が一〇ほど――厳密にいえば一一、ただしそのうち二つには真正かどうか問題がある――で、どれも、普通に印刷すれば最大で一〇行程度のギリシア語断片である。となると、原則は原則だとしても、ちょっと話が違うのではということになってくる。偶然によって残されたこれら一〇ほどの短い断片が、その真正性は認めるとして、ウァレンティノスの全体像をどれほど反映しているのだろうか？　理屈としては統計学、もしくは世論調査の場合と同じ問題である。断片的な情報である以上、数が多ければ多いほど全体の状況を忠実に反映するわけだし、逆に数が少なければ、それだけから何らかの帰結を無理に引き出してしまうと、「木を見て森を見ず」という結果になりかねない。

もちろん、方法論に無理があるからといって、自動的に結論が誤っていることにはならない。しかし、説得的な結論を引き出すためには、やはり他の情報源を、この場合でいえばエイレナイオスの証言その他、二次的もしくはセカンドハンドな証言であっても、それを積極的に利用していくほかに手立てはないのではないだろうか。今のところ、ウァレンティノス自身の正体をめぐる「ウァレンティノス問題」については「わからない」と言っておくのが安全だと思われる。

マルクシース論文そのものの評価は措《お》くとして――筆者もこの研究書には個々の点で多くを負っている――、方法論的な潔癖さが必ずしも正当な結論に導くわけではないという（一見すると）逆説的な現実は、これからたとえば大学の卒業論文や修士論文、あるいは博士論文を書く人が（もし今まで考えたことがなかったなら）意識しておいてもよいことだろう。途方もなく強引だが、この教訓をもってウァレンティノス派の概説を終えることにする。

第三章　バシレイデース

1　バシレイデースの宇宙創成神話

グノーシス主義者バシレイデース

バシレイデース（ラテン語風に書けばバシリーデース）という人物についても、ウァレンティノスやプトレマイオスの場合と同じく、生没年の確かなところはわからない。アレクサンドリアのクレメンスによれば、バシレイデースの活動はローマ皇帝ハドリアヌス（在位一一七〜一三八）とアントニヌス＝ピウス（在位一三八〜一六一）の時代にわたっていた。非常に大まかな説明だが、クレメンス自身、それ以上の確かな情報はつかんでいなかったのだろう。ともかく、バシレイデースは二世紀の前半から後半にかけて、どちらかといえばその前半期を中心に活動していたらしいという程度のことしかわからない。ウァレンティノスやプトレマイオス、そして次に取り上げるマルキオンとも（広い意味での）同時代人だったと考えておいてよい。活動場所はエジプトのアレクサンドリアであったと伝えられ、これを疑う必要はなさそうである。

著作はわずかな引用を除いて散逸しているが、伝えられているタイトルの中に『福音書について全二十四巻』という名前がある。ほんのちょっとだけ引用が残っているが、内容や構成について詳しいことはわからない。これが新約聖書の福音書に対する注釈書だったとすれば、その種のものとしてはキリスト教史上最初のもののひとつ、ことによると本当に最初の新約聖書コメンタリーである。ただし、どの福音書に注釈を加えたのかがわからない。伝えられている表題の「福音書」は単数形である。ということは「福音書」ではなく抽象名詞として「福音」と解釈するべきだろうか？　他方、バシレイデース自身が福音書を書いたとする伝えもある。しかし自分の書いた福音書に自分で注釈を加えるだろうか？　このあたりのこともまったくわからない。

資料問題

バシレイデース研究を特に難しくするファクターとして、資料の問題がある。バシレイデースに限らず、たとえば前章でも、ウァレンティノス派のプトレマイオスについて、資料（エイレナイオス）の扱いに問題があるということは説明した。「三階層論」に関連する部分である。しかしバシレイデースの場合、難しさのスケールが一段と大きい。バシレイデースの教説に関する主な資料源は、すでに挙げたアレクサンドリアのクレメンスのほか、ローマのヒッポリュトスによる『全異端反駁』（三世紀初め）、そしてエイレナイオスの『異端反駁』（二世紀末）なのだが、このうち、ヒッポリュトスが言っていることとエイレナイオスが言っていることが、まったく違うのである。

このように書くと、どう違うのか説明せよと言われてしまうかもしれない。それができないほど違うのである。違いを説明するためには比較しなければならず、比較するためには比較の基準点、つまり日常語でいえば「話のかみ合うところ」が必要になるが、それがないのである。一例を挙げれば、エイレナイオスの報告によれば二元論的でヒッポリュトスの報告によれば一元論的、それほど根本的なレベルから違っている。

この相違をどう説明するか。近年の趨勢《すうせい》は、ヒッポリュトスの方を真正のものとみなし、エイレナイオスが報告しているのは、元来のバシレイデースの教説を（一部の）弟子たちが――他のグノーシス流派の教義を大幅に採り入れて――「通俗化」してしまったものだと説明する方向に傾いている。オリジナリティーの点で「ヒッポリュトス版バシレイデース」の方が「エイレナイオス版バシレイデース」の方を明らかに上回っているため――この点はどの研究者も同意見――、前者の方を時間的にもオリジナル、つまり原初的なものと考えるべきだという理屈である。

なお、報告者であるところのエイレナイオスとヒッポリュトスを較べると、もちろんエイレナイオスの方が古い時代の人だが、どちらにしてもバシレイデース自身からすればはるかに後の人物なので、証言の信頼性そのものに時間的なハンディキャップはない。ものをいうのは中身である。オリジナリティーの点に戻るが、元来のバシレイデース、すなわちヒッポリュトス版の教説があまりにも独創的かつ哲学的だったので、それについていけなかった弟子たちが妥協してエイレナイオス版の教説を作ってしまったのではないかという想定もある。

ただし、最近の有力な研究者でヒッポリュトス優先説に反対する人もいるので（K・ルドルフ、W・A・レーア）、筆者としてはとりあえず態度を留保し、以下、両方を少しずつ紹介することにする。単なる気弱な折衷案ではなく、話題を増やすためのポジティブな作戦として理解していただきたい。

ところでもう一人の証言者クレメンスだが、この位置づけがまた何とも難しい。クレメンスはバシレイデース自身の著作から引用を残してくれており、それが真正であることは疑いない。しかし内容が倫理面、特に殉教論にあるため、救済神話を報告しているヒッポリュトスおよびエイレナイオスとは——この二人の間の相互関係とはまったく違う意味で——うまくかみ合わない。あえて言えばヒッポリュトス版のバージョンと接点があるのだが、以下、バシレイデースの殉教論ないし受難論に関するクレメンスの報告については、それ自体は非常に面白いけれども、テーマとして正面から取り上げるのはやめておく。以下、まずヒッポリュトスが報告するバシレイデースの教説を紹介する。資料は『全異端反駁』である。ただし、それに先立って、典拠となるテキストの話をしなければならない。

ヒッポリュトス『全異端反駁』のテキスト

ヒッポリュトス『全異端反駁』の最も新しい校訂本を出しているのはM・マルコヴィッチという学者である（M. Marcovich, *Hippolytus. Refutatio omnium haeresium*, PTS 25, 1986）。この人は他にも校訂本を無数に出しており、「古典学者の鑑《かがみ》」とも、あるいは「始末屋」とも呼べるような学者である。それはともかく、この文書はテキストの伝承状態が劣悪で、校訂の苦労もそれだけ大きい。マルコヴィッチの校訂は非常に積極的もしくは大胆不敵で、古典ギリシア語としてちゃんとしたテキストを再現するべく、遠慮会釈なく写本の読みを修正する。出来上がったテキストを一瞥《いちべつ》するだけで［ ］や〈 〉などの記号が目に飛び込んでくるが、これは写本の読みに対して校訂者が「削除」や「補筆」をおこなったことを示す記号である。写本に書かれている単語や語形を変更するような修正がこれに加わり（各頁の脚注部分にすべて説明がある）、全体として、マルコヴィッチが写本——書き忘れたが、最初の一巻分を除いて、「パリ写本」と呼ばれる一冊だけしか残されていない——に対しておこなった修正は膨大な量にのぼる。

どのみち細かい議論をおこなうことはできないので結論を言ってしまうが、これは明らかにやりすぎである。これでは、まるで小学校の先生が生徒の作文を添削しているようなものである。とはいえ、写本伝承が劣悪なのだから、ではどこで止めておけばよかったのか——こう反問されると単純には答えられない。結局、この校訂本を利用する人が、マルコヴィッチの校訂案を採るのかどうするのか、ひとつひとつの箇所ごとに自分で判断を下していかなければならないのである。

もっとも、そのために詳細な脚注、さらには一〇〇ページを超える語句索引がついてもいるし、マルコヴィッチ自身、巻頭で「本書がさらなる本文校訂作業のためのベースになりますように」と祈っている（八頁）。これは、単なる形式的な謙遜ではなく、本気に受け取るべきものであろう。いずれ、マルコヴィッチのこの労作を踏み台として、もっと安心して使えるような校訂本を誰かが出してくれるだろう。西洋古典学の分野では、特に古代キリスト教文献において（新約聖書は除外）、まだまだこのように重要かつ——ちょっと色っぽく言えば——おいしい研究課題が残っているのである。

「何も存在しなかった」

そのための手引きという意味も込めて、この文書においてバシレイデースのグノーシス教説がどのように報告されているか、テキストの細かい読みにこだわらず、全体として確実なところを紹介しよう。出典を正式に記せば、ヒッポリュトス『全異端反駁』七・二〇〜二七となる。前章のエイレナイオス『異端反駁』と同じく、岩波書店の『ナグ・ハマディ文書』第一分冊に当該箇所の翻訳・注・解説が載っている。ただしここでも、前章と同じく、翻訳や引用の厳密さよりも、意味内容を優先する。

教説の最初の一文は非常に簡単である。

何も存在しなかった時があった。（七・二〇・二）

簡単だが、しかし、日本語ではこの後が続かなくなってしまう。「何も存在しなかった」という部分だが、英語ならば「ゼア・ワズ・ナッシング」、つまり構文は「～があった」で、「～」のところにナッシングにあたる言葉が入っているのである。英文和訳をやらされるときによくあることだが、日本語では文全体を否定する言い方にしないと不自然になってしまう。しかしバシレイデースの思考を追いかけるには、ここは、それ自体は肯定的な、「～があった」という表現にこだわらなければならない。とりあえず「ナッシング」にあたる言葉に「無」を当てるとして、不自然な日本語になってしまうが、同じ箇所をもう一度書き直し、さらに訳を続けてみる。

「無」が存在した時があった。この「無」とは、存在するものの一種だったのではない。そうではなく、単純かつ留保なしで、いかなる屁理屈もなく、全面的に「無」が存在したのである。「存在した」と言うのは、（何かが）「存在した」ことを言い表したいのではなく、「全面的に無が存在した」ことを表示したいがための記号である。

もしバシレイデースが日本人だったら、「何も存在しなかった」というだけで話が済んでいたかもしれない。しかし思考と言語は分かち難く結びついているので、逆にいえば、自然な日本語の世界ではギリシア哲学が成立しないということにもなる。これはある意味では本当のこと、避けられないことである。不自然な日本語であっても、そのように書く必然性がある場合には（もちろんその場合に限ってのことだが）、我慢しなければならない。

「存在しない神」――否定神学

「ある」と「ない」の弁証法は、当然、パルメニデスをはじめとする古代ギリシア哲学との関連を考えさせる。しかし収拾がつかなくなりそうなので、ここでは脱線を控え、バシレイデース理論の紹介を続けよう。

「何も存在しなかった」わけだが、ここで「ゼア・ワズ・ナッシング」の二義性がある意味で肯定面の方に再びシフトし、「存在しない神」という驚くべき表現が登場する（『全異端反駁』七・二一・一その他）。この「存在しない神」から人間を含む全宇宙が成立することになるのだが、その根源者たる神が「存在しない」というのである。

思想史・哲学史や宗教史の分野では、この種の考え方を総称して「否定神学」と呼んでいる。万物の根源＝神の超越性を強調し、神が人間の理解力を超えたものであること、神について人間はいかなる述語を与えることもできないのだということを強調する考え方である。人間の側から可能なのは、せいぜい「神は〜でない」という否定的な言表に制限される。このような神学、もしくは神についての議論方法一般を、ラテン語では伝統的に「テオロギア・ネガティィーウァ」、日本語ではこれを直訳して「否定神学」と呼ぶわけである。

神に「神秘性」がある限り、どこにでもある程度の否定神学がある。しかし、西洋の思想史・宗教史の流れの中では、特にヘレニズム時代に入ってから、神の神秘性・超越性を強調する傾向が強まった。そこで、このヘレニズム神秘宗教や、その影響を強く受けたヘレニズム期以降の哲学および宗教思想、さらにはキリスト教まで、この否定神学を自らの中に取り込み、積極的に発展させていったのである。

バシレイデースもそうした思想史の中に位置づけられるわけだが、この人物の否定神学は非常に徹底的である。よく考えれば、「神は〜でない」という命題も肯定的・積極的な側面を含んでいる。この点も本当はそれこそギリシア語や英語その他の文法的特性に遡って考えなければならない問題だが、とりあえず日本語で考えても、たとえばA「神は人間でない」という命題はB「神は『人間ではないもの』である」と言い換えることができる。この言い換えがもとの命題と本当に同義なのか、もちろん微妙なところである。しかし、否定神学を徹底する立場から命題Bのような言い換えを絶対に許せないのなら、それをはっきりさせるため、C「神は『人間ではないもの』ではない」という命題をAの直後にくっつけなければならない――「神は人間ではなく、人間ではないものでもない」。

こうして、否定神学は言語の形式的論理構造をいとも簡単に突き破ってしまう。バシレイデースの表現を借りれば、神ないし万物の根源は「名付けられる名称をすべからく超越している」。これはもともと新約聖書でパウロが使った（ことになっている）言葉だが（『エフェソ人への手紙』一章二一節）、バシレイデースはそれを否定神学の意味で理解したのである（『全異端反駁』七・二〇・三）。

このように、言葉というものの限界を超えたものを表示すべくバシレイデースが考え出したのが、「存在しない神」というパラドクシカルな言い方であった。ギリシア語原文では「ホ・ウーク・オーン・テオス」(ho ouk ôn theos)で、「神ではないもの」のように訳すこともできる。ここまで微妙な二義性は、英語やドイツ語などの西洋近代語でさえ、翻訳でちゃんと写し取るのは無理だろう。日本語では「存在しない神」という訳語を使うほかに手立てがないけれども、「神」という概念にまでは否定が及んでいないのだ、などと早合点しないことが必要である。この表現にはいわば自己破壊プログラムが仕組まれており、いつでもどこでも爆発して消えてなくなることができるようになっているのである。

世界の種子

開き直ってあえて矛盾した言葉を使うが、「何も存在しなかった」時に存在した「存在しない神」から世界が生まれる。そのやり方もまた、伝統的な『創世記』やプラトン『ティマイオス』とも、あるいは前章で紹介したグノーシス主義者プトレマイオスの宇宙創成神話とも、まったく異なっている。「存在しない神」が、あるとき、「種子」をひとつ下に置いたというのである。全宇宙は、もちろん人間も含めて、すべてこの種子から生まれてくる。

……存在しない神は、存在しない世界を、存在しないものから造った。何か種子のようなものを投げ落とし、下に置いたのである。この種は宇宙のあらゆる萌芽を自らの内に秘めていた。

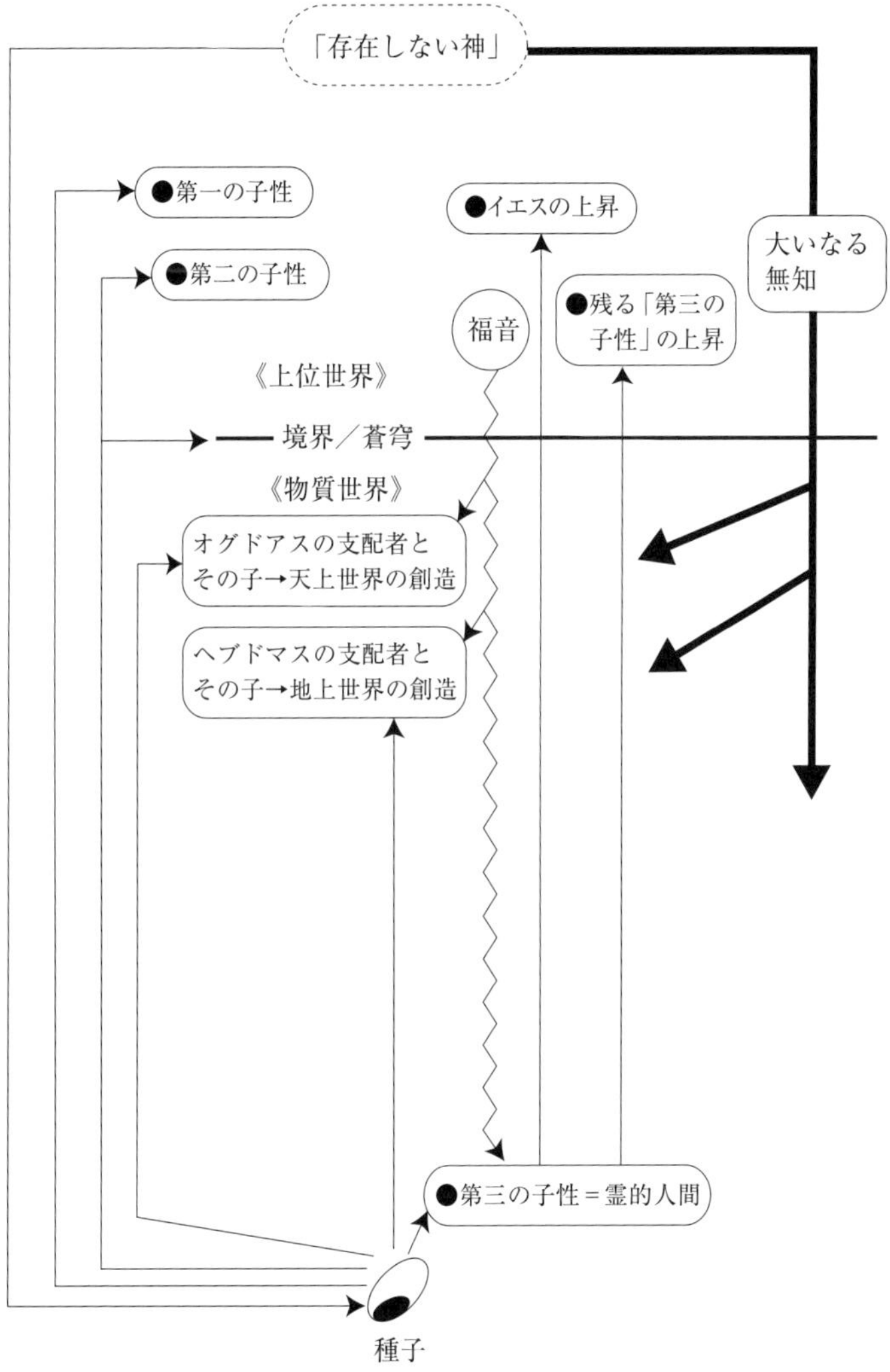

バシレイデースの宇宙創成神話

（ヒッポリュトス『全異端反駁』七・二一・四）

世界がひとつの種から育つという考え方は、「オルフェウス教」と呼ばれる——他にも「ピタゴラス教」や「ディオニュソス教」といった名称があって混乱しており、歴史的な実態も不明確な——宗教・哲学思想のものとして伝えられる「世界の卵」という概念に類似している。しかしこの複雑な問題には手を出さないことにして、その代わり、バシレイデースの思想においてこの「世界の種子」がどのような意味をもつのかを考えよう。とりあえず目を引くのは、種を置いた後、「存在しない神」は何ら手を下さないということである。これ以降、すべてはこの種子から自律的に、オートマチックに生成する。

このコンセプトの背後にあるのは、神をわれわれのこの世界や宇宙にできるだけかかわらせないようにしようというモチーフである。したがって、結局は神の超越性を強調するというヘレニズム時代以来の流行に帰着する。通常、これは神と世界との間に媒介者を挟むというやり方で理論化された。すでに触れたヘレニズム・ユダヤ教の「知恵（ソフィア）」がその一例である。ウァレンティノス派のプトレマイオスの場合、至高神とソフィアとの間に二八のアイオーンがあったわけだが、これらは被造世界から神を遠ざけるクッションとしても機能している。エイレナイオスが報告している方のバシレイデース（派）の神話に至っては、こうしたアイオーンの数が三六五にまでふくれ上がる。それだけ至高神がこの世の悪やしがらみを離れた安全で神聖な場所へと逃げていってしまうわけである。

しかし、ちょっと考えればわかるように、いくら多くの中間項を想定しても、神の居場所が相対的に遠くなりこそすれ、本当の意味の超越性、もしくは彼岸性に到達できるわけではない。また中間項の数を無限大にして神とこの世とのかかわりをゼロにしてしまうのでは宗教的に元も子もない（ある意味、後に紹介するマルキオンはこの一線をあえて踏み越えてしまうのだが、それについては後述する）。

そこでヒッポリュトスが伝えるバシレイデースだが、彼はこうしたアイオーン流出論的な発想を排し、神と世界との接点をたった一点、「種を下に置く」という一度きりの行為に制限する。これ以上の接点があれば神の超越性が損なわれるし、これより少なければ、それこそ万物の起源＝根源的存在を想定する意味がなくなってしまう。こうして、言表の可能性という面（否定神学）のみならず、この世との物理的な接触という面でも、バシレイデースは神の超越性をこれ以上考えられないぎりぎりのところまで徹底させるのである。

「子性」の上昇

宇宙創成論もしくは創造論としてこの教説が有する歴史的な意義については、段を改めて詳しく論じることにする。ここでは、ともかく話を先に続けよう。まず、下に置かれた種子から、三つの「子性」が生じる。

「子性」とは、それこそ日本語では、まずどう読むかで迷ってしまうほどの珍語だが――筆者はとりあえず「こせい」と読んでいる――、ギリシア語では「ヒュイオテース」(hyiotēs)、「ヒュイオス」(hyios)すなわち「子」という単語に抽象名詞的な語尾をつけた合成語である。したがって「子・性」が造語法のレベルから忠実な翻訳なのである。おそらく、意味の見当はつくけれどもまったく聞きなれないという語感の点でも、「子性」と訳すのがぴったりの言葉だろうと思われる。それはともかく、この「子性」は三つある。

「第一の子性」は、非常に軽微であるため、種子を出ると直ちに「存在しない神」のところに戻る。これに対して「第二の子性」は、自身の中に鈍重な要素を含んでいたため、自力で上昇することができない。そこで、「聖霊」というものが（「第二の子性」の中から）現れて「第二の子性」を上に運ぶ。ところが、上に着いたとき、「第二の子性」はあくまで「子性」なので神のところに戻るが、聖霊には本性上それが許されず、そのため神や子性の帰属する上位世界とその下の世界とを隔てる「境界」／「蒼穹《そうきゅう》」として留まる。「第三の子性」は非常に鈍重な要素を含んでおり、そのため下の世界に留まって浄化を必要としている（なお、このあたりから前掲の付図も参照していただきたい）。

非常に突飛なので何のことだかわかりにくいが、基本的に、ウァレンティノス派のプトレマイオスが至高神からの下方展開、つまり上から下への段階的な流出によって説明していた宇宙の成立を、バシレイデースは下から上への上昇という動きで説明しようとしているのである。バシレイデースがこのような説明法をとれるのは、右に記したとおり、上から下への動きを一度きりの原初的な種まきに集約しておいたからである。プレーローマにあたる超越世界が「第一の子性」の上昇によって成立し、次に「第二の子性」の上昇を助けた「聖霊」から「境界」もしくは「蒼穹」、ウァレンティノス派における「ホロス」に相当するものが成立する。「第二の子性」の上昇は、「子性」そのものより、それにともなって上下を隔てる境界が成立するという点に役割の重点があるのだろう。こうして、超越世界を含めた全宇宙の枠組みが完成する。「第三の子性」とは、いまだ地上に留まって上昇を待っている人間の「神的本質」に対応し、「われわれ霊的人間」とも言い換えられる（『全異端反駁』七・二五・二）。

可視的世界の創造から「福音」の伝達まで

この後、件《くだん》の種子から「オグドアス」（第八）の支配者なる存在が生まれ、この「オグドアスの支配者」から「子」が生まれる。続いて、同じように「ヘブドマス」（第七）の支配者とその「子」が生まれる。おそらく、オグドアスは恒星天、ヘブドマスは惑星天を意味している。それぞれ、「子」の方が親よりも優れた存在だとされている。意味がよくわからないが、ともかく、これによって下から上へという方向性が保たれている。「オグドアスの支配者」がオグドアスの世界つまり恒星天を、そして「ヘブドマスの支配者」がヘブドマスの世界つまり惑星天を造る（地上世界もおそらくこちらに含まれる）。こうして宇宙と世界とが成立する。なお、このプロセスにおける「創造」は、当然ながら、すでにあった素材を加工するというニュアンスで描写されている。「デミウルゴス」、すなわち「職人」が原義の単語もこの文脈で初めて出てくる。

ヒッポリュトスの記述では、この二種類の支配者が旧約聖書からイエスに至るまでの歴史と密接に結び付けられている。非常に面白い部分ではあるが、長くなりすぎるので説明を省略する。興味のある読者は、岩波書店『ナグ・ハマディ文書』第一分冊に収められている全訳と取り組んでいただければ幸いである。

両方の「支配者」とその「子」ら、そして「第三の子性」も含めて、「聖霊」＝「蒼穹」より下に位置する存在は、この時点では上の世界のことを知らずにいる。ところが、何も上からの介入がないにもかかわらず（!）、この「蒼穹」＝「聖霊」から――「インドのナフサが遠くから見ただけで点火するのと同じような仕方で」（七・二五・六）――「福音」が生じて順々に下へと進む。上なるものについての知識＝憧憬が「オグドアスの支配者の子」、「ヘブドマスの支配者の子」、「ヘブドマスの支配者」という順に浸透していくのである（付図ではギザギザの線で示してある）。彼らはそれまでの無知を恥じて回心する。「福音」の方は、「三六五の天」を通過してマリアの子イエスにまで到達する。なお、人類がこの時点までにどのような形で造られ、生きてきたのかについてはあまり説明がない。

このイエスが、福音の「火を点火され」て受難し、イエスの中に含まれていた「第三の子性」がついに上昇を遂げる。これが「霊的な人々」が救済されることの範例である。「第三の子性」は自身のうちに非常に鈍重な要素を抱えていたために上昇できないでいたわけだが、イエスの受難が、ここで上昇を阻害していた要素――「身体的なもの」と「心魂的なもの」――の分離として解釈されるのである。

終末論

このように、イエスの受難と救済が「第三の子性」の上昇ないし救済の幕開けとなる。アレクサンドリアのクレメンスがバシレイデースの教説として引用・紹介している殉教論は、本書では詳しく紹介する余地がないけれども、おそらくこの点でヒッポリュトスの紹介するバシレイデース教説とうまく嚙《か》み合うのだろうと考えられている。殉教もしくは死が、福音を認識して「鈍重なもの」を切り捨てる行為として解釈されるのである。

イエスの後を追って「第三の子性」が次々に「存在しない神」へと昇っていき、いつかはそのプロセスが完了する。そのとき、つまり話は宇宙規模での終末論になるわけだが、そのときに少々、いや非常に意外なことが起きる。「オグドアスの支配者」その他、上の世界に入ることのできない存在が下に居残っているわけだが、それらが「憐れみ」を受け、神が「大いなる無知」をそれらに与えるというのである（七・二七・一）。これによって、いかなる存在も、「自らの本性を忘れて上のものに憧れて苦しむ」こと、「魚が山で羊と一緒に飼われたいと欲する」（七・二七・二）ようなことがなくなるであろうというのである。

このようなハッピーエンド（やはり話の流れからみてこのように呼ぶべきだろう）を、時代的・歴史的にどのように位置づけるべきか、つまりはどのように理解するのが正しいのか、筆者は正直なところわからない。

あるいは、これは救われるべき「第三の子性」の救済がすでに済んだ後での話、いわば後日談なのだから、残りのものが野になろうと山になろうと、本質的な問題ではないとも考えられる。しかし、ではなぜ――プトレマイオスのように――不要の部分は燃えてなくなってしまうというさっぱりとした決着、価値判断を明確にするような決着をバシレイデースは選ばなかったのか？　なぜ、あたかも「知ること」、ギリシア語でいえば「グノーシス」が諸悪の根源であったかのような決着、まさに「反グノーシス主義」とも呼びうるようなエンディングをバシレイデースは選んだのか？　ここまでいうと「知ること」／「知」／「グノーシス」という概念にこだわりすぎなのだろうか？　もしくは、それこそ「好奇心」モチーフ、つまり過剰な「知」への期待を戒めるという考え方の影響を、アプレイウスやプトレマイオスとはまた違った形で、バシレイデースにも想定すべきなのだろうか？「大いなる無知」。バシレイデース救済神話の最後を締め括《くく》るこの概念は、あくまで筆者の知る限りでだが、まだその意味と意義が十分に解明されていない。そこでこの問題は寝かせておき、話が少し戻るが、もう少し歴史的な解明の進んでいるテーマを、次に取り上げることにする。

2 「無からの創造」

「無からの創造」(creatio ex nihilo)

バシレイデースによれば、「何も存在しなかった」ところに「存在しない神」が「種子のようなもの」を「投げ落とし、下に置いた」ということになっている。この「種子」ひとつからすべてが生成するわけだが、「投げ落とす」と言うと、何か最初から上下の基準があったように聞こえてしまう。下に「置く」という言い方からは、ものを置ける場所、「種子」という比喩に即せば「土地」なり「畑」のようなものが、まず先にあったように連想される。

しかし、文脈からみて、これらをそのような視覚的イメージで解釈すべきでないことは明らかだろう。なにしろそのときは「何も存在しなかった」のである。「種子」が置かれたとき、「存在しない神」を別にすれば、他には何もなかった。世界の起源はこの「種子」ひとつであり、それ以前には「存在しない神」があっただけである。つまり、「種子」という媒介項を消去すれば、神は世界をまったくの虚無から創造したと言ってもかまわないことになる。

「神は世界を無から創造した」という考え方は、今ではキリスト教神学の常識になっており、「無からの創造」、ラテン語では creatio ex nihilo（クレアーティオ・エクス・ニヒロー）という専門用語がある。古代からあるジョークに、「天地を造る前に神さまは何をなさっていたのですか?」――「そのような質問をする人のために、地獄を造っていらっしゃったのです」というのがある。これの背後にも、天地創造の前には何もなかったという前提了解がある。しかし、この教理が定着する経緯をよくよく調べてみると、そこには意外に複雑な歴史が隠れている。

ひとまず、ちょっと整理しておこう。「神は世界を無から創造した」とはどういう意味だろうか。またギリシア哲学くさい禅問答のようになってしまうが、ここでいう「無」とは「取るに足らないもの」「何でもないもの」「述語を欠くもの」のような意味だろうか? それなら、神が世界を創造した際の材料を「無」と呼んでいることになるだろう。あるいは、そうではなくて「材料」と呼ぶべきものがそもそもなかったのだ、何も存在しなかったところへ世界が唐突に出現したのだ、という意味だろうか?

現在に至る正統的キリスト教神学の考える「無からの創造」は、もちろん、後者のような意味である。ところが、ごく古い時代、「神は世界を無から創造した」という内容の発言があっても、それは前者のように解釈されていた。あるいは、そもそも――こちらの方が古く、また多数派なのだが――そのような問題意識がなかった。

いだろう。

「光あれ」

ユダヤ教・キリスト教の創造物語といえば、やはり旧約聖書『創世記』を無視するわけにはいかない。

（一）はじめに神は天と地を創造した。（二）地は混沌であって、闇が深淵の面《おもて》にあり、神の霊が水の面を動いていた。（三）神は言った、「光あれ」。こうして光があった。（四）神は光を見て良しとした。神は光と闇を分け、（五）光を昼、闇を夜と呼んだ。夜になり、昼になった。第一の日である。

（『創世記』一章一～五節、説明のために節の番号を明示）

これが旧約聖書の最初の数行だが（ただし歴史的にこの『創世記』が旧約聖書所収の文書の中で最初に成立したというわけではない）、ここから右に記した問いに答えられるだろうか。

答えは否である。「はじめに神は天と地を創造した」とあるわけだから、その前には何もなかったと言えそうではある。たしかに、実際、二元論的な異端説を反駁する際に、正統多数派教会の論者がこの点、つまり「闇」という言葉が出るのは第二節であり、その前に「はじめに……」という第一節が置かれているのだという点を繰り返し強調していた。

しかし、そのように一節を読むなら、二節が「地は混沌であって……」と続くのだから、神はわざわざまず「混沌」なるものを創造したのだということになってしまう。また、「深淵」とは何だろうか。これは二節で初めて出てくる概念である。ということは、神が造った「天」や「地」と別に、最初から「深淵」が存在したのだろうか。

あるいは、ユダヤ教＝キリスト教の伝統に従うなら神さまが最初に発した言葉ということになるが、「光あれ」と言うからには、それまで光はなかったはずである。では、二節で「深淵」の上にあった「闇」とは何だったのか。あたり一面がすべて暗闇だったのだろうか。それなら「神の霊」も真っ黒だったのだろうか。

それこそ地獄に行かされるといやなのでこの辺でやめておくが、そもそもこうした疑問は、いちゃもんをつけているだけの、いやがらせの質問である。言い換えれば、『創世記』を宇宙成立過程の科学的な記述、「ビッグバン仮説」のようなつもりで読んではならないのである。どんなテキストも、それが書かれた目的というものがある。たとえ聖書でも、人間が書いたものである以上、例外ではない。

著作目的をあえて度外視してテキストを読むことは、学問的な研究手段としてもちろん有効でありうるし、限度を常に意識しておこなわれる限り、問題はない。一〇〇年前の家庭料理のレシピが見つかれば、料理の作り方だけではなく、その地域と時代においてどのような食材が一般に流通していたのかをも証言してくれる。しかし本来の著作目的を別のものとすり替え、たとえば料理のレシピを一律に薬の処方箋のように読むならば大間違いである。

ビッグバン仮説、あるいはダーウィンの進化論は、宇宙ないし動物世界の歴史を科学的・論理的に説明しようとするものである。しかし『創世記』の宇宙創成神話をそれと同列に扱うことは許されない。こちらは宗教文書、各種の相違を捨象した根本的なレベルでいえば、むしろウァレンティノス派プトレマイオスやバシレイデースの教説と同列に位置する、神話なのである。この点をおろそかにすると、いわゆるファンダメンタリズム（原理主義）に落ち込んだり、逆にどんな古文書からでも「ミステリー」や「謎」を読み出すことができるような、それこそ暗黒の世界に溺《おぼ》れてしまう。

これだけくどく言っておけば、少なくとも『創世記』批判の嫌疑で筆者が神さまから地獄に落とされることはないだろう。ともかくそう信じることにして、「無からの創造」の歴史に戻ろう。ある意味では、『創世記』冒頭がこのように曖昧だったことが諸悪の根源で、この箇所に解釈を論じる余地のない一義的なことが書いてあればよかったのである。しかしそれはこの文書の問題意識に入っていなかった。比喩的に言ってしまうが、「その前に神さまは何を……」の質問を向けたら、『創世記』の「著者」は――怒り出すよりも先にまず――さぞかし呆然としたことであろう。『創世記』は、「無からの創造」のドグマ（教理）をまったく知らないのである。

『第二マカベア書』七章の母親

同じような例として、次に挙げるのは旧約聖書外典（新共同訳では「続編」）に含まれている『第二マカベア書』＝『マカバイ記　二』である。紀元前一二四年に書かれたとされるこのテキストだが、その七章二八節に、

子よ、天と地に目を向け、そこにある万物を見て、神がこれらのものをすでにあったものからお造りになったのではないこと、そして人間も例外ではないことを知っておくれ

という言葉がある。これが、ユダヤ教・キリスト教の歴史において「無からの創造」を——見かけ上——明言している最初の言葉（のひとつ）として有名である。この言葉をここで取り上げたのもそのためである。しかし、ここで「すでにあったものから造ったのではない」というのも、実は、素材や材料が手元になかったというような意味ではない。それは文脈をよくよく見れば明らかになる。

話し手はあるユダヤ人女性、「子よ」と呼びかけられているのは息子、厳密には七人中七番めの息子、つまり末っ子である。上の六人はたったいま順番に処刑されたばかりである。場面はマカベア（マカバイ）戦争勃発、すなわちユダ・マカベア（マカバイ）が中心となって起きる大反乱（前一六七〜前一六二）の直前、パレスチナを支配圏に収めていたセレウコス朝シリアの王アンティオコス四世が、ユダヤ教を禁止してユダヤ人を虐殺しつづけていたという時代である。ユダヤの戒律を守って豚肉を口にしようとしない一家を、王が長男から順番に処刑している。最後の息子の番が回ってきたとき、母親が右のように言って息子を慰める。

引用した言葉の後、母親は「兄たちに倣《なら》って喜んで死を受け入れなさい。そうすれば、憐れみによってわたしは、お前を兄たちと共に、神さまから戻していただけるでしょう」と続ける（二九節）。息子は王に呪いをかけて死ぬ。最後に母親も殺される。

このような衝撃的かつ感動的なテキストを神学思想史のごとき野暮な立場から取り扱うのも気が引けるが、ともかく、この母親が語る創造論は終末論とセットになっており、「無からの創造」が「死者の復活」とパラレルに扱われていることは見逃せない。死が創造前の状態、生が創造後の状態に相当する。つまりポイントは有か無かのデジタル的な二者択一ではなく、アナログ的な状態の変化にある。

もしこの母親がバシレイデースや後の正統多数派教会的な意味で「無からの創造」を理解していたのだとすれば、息子は死んで「虚無に帰する」、「なかったことになる」ということになってしまうだろう。それではまったく慰めにならない。仏教系の思想ならそれこそ慰めになるのかもしれないが、ここでは死生観がまったく違う。たとえ殺されても、忍耐すれば神が再び生命を返してくれる。非常に有名な旧約聖書正典『ヨブ記』の言葉、「わたしは裸で母の胎《はら》を出た。裸でわたしはそこへ帰ろう。主は与え、主は奪う」を思い出す人もいるだろう。アクセントの置き方は正反対、しかし根本的な考え方は同じである。どちらも、本当の主題は人間論、つまり人間の生と死であって（「そして人間も例外ではないことを……」）、天地創造の理論ではない。

なお、新共同訳は母親の科白を「……既に在ったものから造られたのではないこと……」と表記している。「在った」という漢字の使い方だが、もしもこれによって、わざわざ「存在」の意味を明確に打ち出して「無からの創造」のドグマを読みとらせようとしているのならば、神学的・牧会学的にはともあれ、文献学的・歴史学的には不適切である。

ちなみに、この母親が表明する「死者の復活」思想だが、彼女は上の息子たちにも同じような慰めの言葉をかけている。「神は正しい人を復活させる」という考えがユダヤ教で生まれたのは、まさにこのマカベア戦争の時代であった。それは「敬虔なる者の殉教という不条理を克服しようとする新しい信仰の芽生えであった」（山我哲雄・佐藤研『旧約新約・聖書時代史』、一三九頁）。ほかならぬこの信仰が、そのほぼ二〇〇〇年後、罪もなく十字架刑で殺されたイエスを神が生き返らせたという「復活信仰」の受け皿になり、キリスト教を成立せしめることになる。

プラトン哲学・ギリシア哲学の影響

『創世記』にせよ『第二マカベア書』にせよ、神が全能であることは少しも疑われていない。もし「無からの創造」を神の全能性と同じ意味にとるなら、これらをその典拠に挙げてもかまわない。しかし、この「無」をバシレイデースや正統多数派キリスト教ドグマが志向する意味、厳密に「何も存在しない」というような意味で解釈すると、やはりアナクロニズムになってしまう。宇宙の成立という現象それ自体を探求しようとする姿勢が、『創世記』にも『第二マカベア書』にも、まったく認められないからである。このような姿勢は、古代イスラエルの宗教・ユダヤ教ではなく、ギリシア哲学、特にプラトンの哲学に由来しているのである。

ただし、プラトンや他のギリシア哲学者の誰かが「無からの創造」のような理論を唱えていたというわけではない。事実はその反対であって、プラトンとその学派の場合、「デミウルゴス」と呼ばれる創造神の役割は、すでに存在していた材料から、形のある美しい世界を作り出すことであった。プラトン哲学で「イデア」と「質料」（ヒューレー）というキーワードがよく知られているが、基本にあるのはまさにこの図式である。「イデア」に基づいて「質料」を加工し、それによって「この世界」を形成すること、それがデミウルゴスの役割である。先にも触れたが、そもそもギリシア語の「デミウルゴス」とは、ものづくりのための「職人」という意味である。陶芸家が土を、大工が木材を、料理人が食材を自分で造り出すわけではない。同じように、デミウルゴス自身が質料を造るのではない。プラトン哲学以外の流派にも「無からの創造」と呼ぶべき思索は見られない。簡単に整理してしまうが、ギリシア哲学における宇宙論は、①プラトン派のように創造神の存在を考えても、材料／素材に相当するものは創造神と別に存在していたとされるか、あるいは②アリストテレスその他のように、宇宙には成立というものがない、つまり宇宙は「永遠」なのだと考えられていた。なお、プラトンにしても、宇宙創造の理論を積極的に展開するのは対話篇『ティマイオス』だけで、それもあくまで試論的なものにすぎないという体裁である。プラトン自身の関心は、宇宙生成そのものにではなく、あくまで「イデア／質料」論、特に「イデア」の探求に向けられていた。しかし後代への影響という点からは、プラトン（派）の宇宙創成論を右のようにまとめておくことができるだろう。

さて、このプラトン哲学に大幅に依拠しながら形成されていったキリスト教神学だが、結局、キリスト教はこの理論を受け入れなかった。よく考えれば理由は簡単で、プラトンのように考えてしまうと、神のほかに質料／物質が最初から存在したことになり、神の絶対性が損なわれる。つきつめれば、神と物質という二元論に行き着いてしまうのである。そこで神はいわば質料／物質をも造った、つまり神がすべてを造ったのだとする「無からの創造」というドグマが生み出されたというわけである。

このように、「無からの創造」はギリシア哲学・プラトン哲学の単純な継承ではなく、逆にそれの否定として生み出された。とはいえ、たとえネガティブな形ではあれ、この点でもギリシア哲学がキリスト教教義の成立に不可欠な寄与を果たしたことに違いはない。『創世記』や『第二マカベア書』には欠けていた理論的関心を呼び起こしたのが、ほかならぬギリシア哲学・プラトン哲学だったからである。

アンティオキアのテオフィロス

大きな流れの筋道はこれでいいとして、問題はその細かい経緯である。ユダヤ教・キリスト教の創造信仰から、プラトン哲学との接触を媒介として、最初に「無からの創造」という帰結を引き出したのは、いったい誰だったのだろうか？

その候補として一番手に挙げられるのが、実はこのグノーシス主義者バシレイデースである。右に述べた「存在しない神」「世界の種子」というコンセプトは、万物の根源＝宇宙の起源をめぐる理論的な問題意識を明らかに示しており、その上で、神のほかには何も存在しなかった――それどころか神自身でさえ「存在」しなかった――のだという回答を提出する。ある意味では、これこそ「無からの創造」もしくは「万物は虚無から成立した」という観念である。そしてバシレイデース以前、すなわち二世紀中ごろよりも前の時点で、このような理論を展開した人物や文書があったことは確認できないのである。

正統多数派教会の側で「無からの創造」をはっきりと唱えた最初の教父は、これも知られている限りでの話だが、シリアのアンティオキアで司教をやっていたテオフィロスという人物である。二世紀後半の半ばごろが活動時期だったが、エイレナイオスは『異端反駁』においてテオフィロスの異端反駁文書を参照・利用している。したがって、テオフィロスの方がエイレナイオスより少し先輩だったということになる。

テオフィロスの著作で残存するのはひとつだけ、『アウトリュコスへ』と題された護教文書である。この中に、たとえば次のような言葉がある——「もし神が材料（ヒューレー／質料）をもとにしてそこから宇宙を造ったのだとすれば、それがどうして偉大なことだろうか。人間の手職人も、材料をどこかで調達してくれれば、そこから何なりと望むものを造ることができる。神ならではの力は次のことにおいて、すなわち何もないところから何なりと望むものを造り出せるということにおいて、発揮されるのである」（二・四・七）。

『アウトリュコスへ』はアウトリュコスという名の異教徒に対してキリスト教信仰の合理性を弁明しようとする護教文書だが、アンティオキアのテオフィロスはほかにもマルキオンやヘルモゲネースといった異端者を反駁する文書を著した（散逸、ただし前述のようにエイレナイオスらによって参照・利用された）。特にヘルモゲネースは、神はヒューレー（質料・材料）から世界を造ったのだ——そして世界の中の悪はこのヒューレーに由来する——というプラトニズム的な教説を唱えていたキリスト教教師であった。つまりテオフィロスもまた、バシレイデースと同じく、プラトン的な宇宙創成論との対決を通して、ユダヤ教・キリスト教的な創造理解を「無からの創造」の意味で厳密化しているのである。この後、テオフィロスを受けてエイレナイオス、そしてテルトゥリアヌスといった教父たちが「無からの創造」論を踏襲し、それが後のキリスト教における「正しい」ドグマ＝教理として定着する。

キリスト教教理史におけるグノーシスと正統多数派教会

ここまでの説明をまとめれば、「無からの創造」という考え方を初めて明確に打ち出したのがバシレイデース（二世紀半ば）、正統多数派教会の側ではちょっと遅れてアンティオキアのテオフィロス（二世紀後半）だったということになる。もちろん、いつものように「史料が残っている限り」という限定つきである。したがって、ここからテオフィロスがバシレイデースを模倣した、つまり正統多数派教会がグノーシスを模倣した、という単純な結論を引き出すことはできない。テオフィロスがバシレイデースを知っていたことを示す証拠はないし、またバシレイデースとテオフィロスの間に何か共通の伝承や伝統があったと考えてはいけないという理由もない。テオフィロスがプラトニズムやヘルモゲネースとの対決から自分一人で「無からの創造」という結論に行き着いたという可能性でさえ、理論的には否定できない。

とはいっても、どうしても揺るぎそうにない結論がないわけではない。それは、やはり時間的な前後関係である。何度も繰り返しているように、「無からの創造」という教理はプラトン哲学との、すなわち当時における知識人の常識であった哲学思想との意識的な対決を通して成立した。この対決を、バシレイデースの方が正統多数派教会よりも先におこなったのである。たとえ一〇年か二〇年かの時間差であっても、二世紀、つまりキリスト教がヘレニズム・ローマ世界の中にデビューして一人前の理論体系としての自己主張をまさに開始しようとしている時代にあって、この差は決して無視できない。正統多数派教会は、「世の中」に出ていくのが遅れた。あるいは、あえて遅れて出ていった。

もう少し、このテーマを利用して、話をふくらませてみたい。「無からの創造」という観念だが、もし特許権のようなものがあるとすれば、それはバシレイデースのものであろう（知られている限りで）。しかし、バシレイデースが築き上げた神話体系は、「存在しない神」とか「世界の種子」、あるいは「子性」だとか、ましてや「大いなる無知」だとか、いかにも難解な思想であり、たとえ独創的で深遠な理論であろうと、おそらく一般のキリスト教徒にはとてもついていけなかったであろう代物である。これに対して正統多数派教会の教えは、「全能なる神は何もかもご自分でお造りになったのです」という程度の、それほど印象的ではないが難解でもない、神の絶対性と全能性だけを徹底させた命題である。だからこそこちらの方が、長い目で見て、正統多数派教会すなわち大多数のキリスト教徒を束ねるドグマになることができた。

多数派の獲得という戦略から考えれば、バシレイデースの教説は無謀、あるいは、いずれにしても飛び出しが早すぎた。救済宗教である以上、世界中に福音を伝えよ、世界中で人々を救えとイエス・キリストに命じられている以上、ほとんど誰にも通じないような学問的に厳密な論文を書いたとして、それがいったい何になるのか。神の絶対的な超越性にこだわるなら、神を擬人的に描写している聖書の箇所をすべて、つまり、聖書が神について述べているほぼすべての箇所を削除ないし変更しなければなるまい。しかしイエス・キリストはそのようなことを宣教しただろうか。

その一方、バシレイデースの側にしてみれば、（後の）正統多数派教会のような宇宙創成論では神の超越性への配慮が不十分だと映って仕方がなかっただろう。たとえ理解できる人がわずかであろうと、たとえどんなに難解であろうと、子供っぽいおとぎばなしのレベルはそろそろ卒業し、あくまで真理を追究するべきではないだろうか。全能の神なのに、あえて女を無からでも（せめてアダムと同じように）土からでもなく、よりによって男から造ることが必要だったのか。あるいは男女の区別などどうでも構わないとしても、エバを造るために、神が自分の手を突っ込んでアダムのあばら骨を摘出する必要が、いったいどこにあったのだろうか。光を、そして天地を言葉で造ったはずの神が、なぜ「男あれ」「女あれ」、あるいは、せめて「男から女あれ」という一言が言えなかったのか。そもそも、なぜ最初から「人間あれ」と言わなかったのか。

以上は筆者の単なる空想であり、かなり時代思潮を無視している（ついでに『創世記』をめぐる現代の学問的な資料問題も無視している）。しかし、どの立場から出発しても話が泥沼にはまってしまうことに変わりはないだろう。ともあれ、これで正統多数派キリスト教とグノーシス・キリスト教との歴史的な絡み合いを、そしてそれを歴史的・学問的な立場から解きほぐすことがいかに難しいか（そして面白いか）を、「無からの創造」という教理史的なテーマを切り口に、多少とも具体的に示すことができたのではないかと思う。

とりあえず、このテーマに関してバシレイデースの方がまず独創的な答えを提出し、テオフィロスの方が後から実用的な答えを出したという点だけを確認しておき、それ以上のことは専門書に任せることにする。本書ではもうひとつ、バシレイデースという名前を契機として、やはり初期キリスト教史において重要であった別のテーマを取り上げることにしたい。出だしはエレガントにクラシック音楽の話である。

3　キリスト仮現論

アウェ・ウェールム・コルプス

ヴォルフガング・アマデウス・モーツァルト（一七五六〜一七九一）の作品に、「アウェ・ウェールム・コルプス」（Ave verum corpus）という表題で呼ばれる短くも美しい合唱宗教曲がある（K六一八）。有名な作品だが非常に短いので、CDなどでは他の宗教作品の付録のような目立たない形で収録されていることが多いようである。ともかく、歌のテキストというものは——作曲家がモーツァルトでなくても——メロディーに較べるとかすんでしまいがちだが、ここでは、ちょっとだけ歌詞の方に注目してみよう。

Ave verum corpus, natum/de Maria virgine,
vere passum, immolatum/in cruce pro homine,
cuius latus perforatum/fluxit aqua et sanguine.
esto nobis praegustatum/mortis in examine.

処女マリアより生まれたまことの体よ、あなたに挨拶します。

あなたは人間のために十字架にかけられ、まことに苦しみ、いけにえにされ、
その脇腹は突き刺され、水と血がそこから流れ出ました。
死の試練として、あなたをあらかじめ私たちに味わわせてください。（私訳）

歌詞に選ばれているこのテキストはカトリック・キリスト教会の伝統的な典礼式文であり（ただしテキストは厳密には一定していないらしい）、内容、特にその最後の部分が示しているとおり、ミサの参会者がキリストの肉体に見立てられたパンを食べる儀式、いわゆる「聖餐式《せいさんしき》」「聖体拝領式」のためのテキストである。レオナルド・ダ・ヴィンチその他の絵でも有名な「最後の晩餐」の場面だが、逮捕・処刑を目の前にしたイエスが弟子たちと一緒に会食し、パンを裂いて「これは私の肉である……」、次にぶどう酒を注いで「これは私の血である……」と宣言してそれぞれ弟子たちに渡す（『マタイ福音書』二六章二六節以下と並行記事）。この伝承と関連したセレモニーの式文である。

最初の言葉「アウェ」は、「アウェ（＝アヴェ）・マリア」の場合と同じく、挨拶の呼び掛けである。呼び掛けの相手が、マリアではなく「ウェールム・コルプス」、「まことの体」になっているのである。で、なぜ「まことの体」なのだろうか？　直接的な答えは、目の前にあるのが単なるパン（聖餅）だからである。だからこそ、このパンが実は本当にイエス・キリストの「まことの体」なのだ、ということを神秘的に宣言しているわけである。

しかし、よくよく観察すると、この言葉にもうひとつ別の意味が隠れていることがわかる。少し後、右の訳文では二行目だが、「まことに苦しみ」という表現がある。「まことの」という同じ言葉が、こ

こでは副詞として、キリストの受難を修飾している。つまり、キリストの受難はにせものではなかった、イエスは本当に受難したのだという点が強調されているわけである。

聖餐式からは明らかにポイントのずれた事柄だが、だからこそ、このように書いてあるのはなぜかという疑問がここで生まれてくる。とりあえずこの解釈を、戻って一行目の「まことの体」にも応用すると、イエスの体は偽りの体、代用品のようなものではなく、普通の人間と変わるところのない本当の肉体だったのだという主張が想定できる。

はたして、イエス・キリストの身体や受難がこのように「見せかけ」ではなく正真正銘の本物だったのだという主張は、古代教会において、正統多数派キリスト教が執拗にこだわったドグマであった。逆にいえば、それと対立するキリスト論が異端者の側から繰り返し出されていた。この古い時代の神学的な論争から、「まことに苦しみ」に相当する定型表現が生まれ、その痕跡がモーツァルトの音楽の歌詞にまで及んでいるのである。

モーツァルトも、またこの典礼テキストを利用する近現代の人々も、こうした歴史背景は意識していないだろうし、儀式用にはそれで十分である。しかし、長い歴史を引きずるキリスト教には、よく見るとこうした遠い過去の神学論争が後遺症のような形でいろいろなところに残っている。今のケースでいえば、イエス・キリストの受難や身体性を何らかの意味で否定するような見解、これを教会史・キリスト教思想史の分野では「キリスト仮現論《かげんろん》」、もしくは単純に「仮現論」という用語で呼んでいる。英語ではdocetism（ドケティズム）、その語源は「～であるように見える」という意味のギリシア語動詞dokein（ドケイン）である。

キリスト仮現論と正統教義

たった今、あえて「イエス・キリストの受難や身体性を何らかの意味で否定するような見解」という漠然とした表現を使った。仮現論という概念には、実は厳密な定義がない。理由のひとつは、一口にキリストの受難や身体性を「否定する」といっても、そのやり方はいくらでも考えられるし、事実、さまざまなやり方が歴史的に伝えられていることにある。裏を返せば、「受難」とか「身体性」という概念がそもそも曖昧なのである。

正統多数派教会のドグマは、仮現論との対決をもふまえて、イエス・キリストは「まことに神、まことに人間」であると教える。つまり、「神である」という述語と「人間である」という述語が両方ともイエス・キリストにあてはまり、なおかつ、どちらの述語も、いかなる留保もない十全の意味で該当するというのである。しかし、たとえば「イエスは処女マリアから生まれた」というドグマがこれと両立可能だろうか。普通の（＝まことの）人間が処女から生まれるだろうか。

つきつめれば、「まことに神、まことに人間」という定義そのものが自己矛盾なのではないだろうか――つまり、「人間」という概念には「神ではない」という前提了解が、「神」には「人間ではない」という前提了解が、それぞれ不可欠なものとして内包されているのではないだろうか。そうでなければ、皮肉なことに、むしろグノーシス的・異端的な立場に近づいてしまうのではないだろうか。

しかし、もしイエス・キリストから「神である」という述語を取り除いてしまったら、イエスは救い主でありえなくなる。神なればこそ、人間を救うことができる。実際、新約聖書はイエスを繰り返して「神の子」と呼んでおり、それどころか「神」と明言している箇所もある。しかし、だからといって「人間である」という述語を否定してしまったら、イエスが人間の身代わりとして罪を背負って死んだという贖罪信仰が成り立たなくなってしまう。それどころか、人間でなかったのなら死ぬこともなかったはずである。しかし、新約聖書にははっきりとイエスの十字架刑と死が証言されている。もちろん復活も証言されているが、復活が本当の復活であるためには、それに先立つ死も、本当の死でなければならないのである。

したがって、多数派正統教会は「まことに神、まことに人間」、「神が人間になった」というドグマに固執せざるをえなかった。理性の立場から考えれば、どうしても矛盾である。しかし理性よりも信仰（聖書）の方が大事であったし、そうしなければ一般のクリスチャンがついてこなかったであろう。また神学の専門家たちは、この矛盾した定式をむしろ積極的に受け止め、その神秘に何とかして迫ろうと努力した。

これに対して、異端とされたキリスト論は理性的にすっきりしている。人間性と神性のどちらか一方に決めてしまえるからである。人間性の方を選ぶのがたとえば「養子論」、イエスは人間であったが神に認められて養子にされたのだという非常に古い考え方である。早くはパウロの『ローマ人への手紙』一章一節にもその痕跡があり（パウロ以前の伝承）、後にユダヤ人キリスト教がこの考え方をしばしば踏襲した。グノーシスにも、時としてこれに類した考え方が見られる。

他方、神性の方を選ぶとどうなるか。その帰結が「キリスト仮現論」にほかならない。イエスが人間であった、イエスに身体があった、イエスは受難したという言い伝えは外見に惑わされているのであって、事実は違っていたのだと考えるのである。ただし、最初に記したように、「事実は違っていた」ことを説明する仕方は十人十色である。

「笑っていた」――バシレイデースのキリスト仮現論

ちょっと示唆したように、仮現論とグノーシスは同義でない。しかし、キリスト教グノーシスは基本的にイエス・キリストを至高神のレベルから派遣された啓示仲介者として位置づけるため、その神性が強調され、人間性は重視されないことになりがちである。さらに、身体や物質を蔑視する思潮がグノーシスに流れ込んでおり、そこからイエスの身体性を否定する傾向も生じる。こうした理由から、グノーシスのキリスト論は大部分が仮現論的である。

そのすべてを紹介することは無理なので、特に有名な一例として、ここではバシレイデースの仮現論を代表として取り上げる。ただし、前節で述べた資料問題とも絡むが、今度はエイレナイオスが情報源である。したがって、先に記した想定に従うなら、ここではあえて「バシレイデース派」としてバシレイデース本人から区別するべきであろう。しかし簡便のため、また前述のように史料問題に完全な決着がついているわけではないため、以下、それは省略する。

……したがって彼（キリスト）は受難もしなかった。そうではなく、キュレネ人のシモンという者が徴用されて彼の代りに十字架を背負ったのであり、この男が（人々の）無知と迷いのゆえに十字架に付けられたのである。彼（シモン）がイエスであるかのように見えるように、彼（イエス）

によって姿を変えられた後で。他方、イエス自身の方はシモンの姿になり、立って彼らを笑っていた。

（エイレナイオス『異端反駁』一・二四・四）

キュレネ人シモンとは『マタイ福音書』二七章三二節とその並行記事に出てくる人物で、それによれば、処刑場であるゴルゴタの丘に向かう道で、イエスの十字架をこのシモンが途中からイエスに代わって担いだのだという（イエスが十字架を最後まで自分で担いだと伝えるのは、新約聖書では『ヨハネ福音書』だけ）。右の解釈によれば、驚くべきことに、十字架につけられたのも実はシモンだったというのである。

この解釈だが、珍妙なだけでなく、よくよく考えると、何だか恐ろしく不気味である。情景を想像してみよう。何が見えるだろうか？　シモンが十字架につけられ、イエスが横に立っている様子だろうか？　そうではない。イエスとシモンが姿を入れ替えられている以上、見えるのはまったくおなじみの情景である。十字架の上で苦しんでいるのはナザレのイエスであり、十字架を運んできたキュレネ人シモンは、もう役目を終えて横に立っている——しかも笑っている！　重労働を終えた解放感からだろうか。あるいは、見ず知らずの死刑囚が当然の報いを受けるのを見て、冷笑しているのだろうか。人々が実際に見たもの、そしてわれわれもその場にいれば見たであろうもの、それはあくまでこのような情景である。

ところが、知られざる事実は正反対であったという。十字架の上で死につつあるのがシモン、横に立って笑っているのがイエスであった。これによって確かにイエスが受難したことの事実性が否定されており、したがって仮現論である。しかし、受難の事実性どころか、人間の身体性、さらには人間のアイデンティティーとでも呼ぶべきものまで、この解釈は相対化してしまう。イエスの姿をしているのがシモン、シモンの姿をしているのがイエス。それがわからないでいる人々を、シモンの姿をしたイエスが嘲笑している。

こうなると、何だかイエスとシモンの入れ替えは本質的にどうでもよいことなのではないか、という気がしてくる。「姿」に騙されることが無知であるのなら、入れ替え以前、すなわちイエスがイエスであったときにも、イエスの「姿」にこだわることが、そもそも無知であったということなのではないか。

ちょっと文学少年風・哲学青年風の空想に走りすぎかもしれないので、もう少し別の歴史資料を見ておこう。

ナグ・ハマディ文書『大いなるセツの第二の教え』と『ペトロ黙示録』の仮現論

一九四五年に発掘されたナグ・ハマディ文書が紆余曲折を経てようやく一般の学界に知られるようになったころ、反異端文書を通してそれまでに知られていた異端教説とのつき合わせから最初に注目を浴びたポイントのひとつが、『大いなるセツの第二の教え』と『ペトロ黙示録』という二文書に見られるキリスト仮現論であった。というのは、この二書に、今紹介した(エイレナイオスの報告による)バシレイデースの教説とかなり類似した仮現論が発見されたからである。どちらも、受難したのはイエス・キリスト自身ではなく、何か他のものであったと説いており、『大いなるセツの……』の方には、わざわざ「十字架を担いだのはシモンだった」という趣旨の言葉まで書かれているのである。

残念ながら、この二書を単純にバシレイデース派の作品と見なすことはできない。仮現論以外の点での思想的親近性が確認できないからである。しかし少なくともこの仮現論的な受難理解については、何らかの歴史的な関連を想定しないと説明が難しい。とりあえず、先に述べたようにエイレナイオスの報告するバシレイデース派は（ヒッポリュトスの報告するそれに比べて）二次的な、大幅に通俗化した教説体系なのではないかという仮説があるため、これと組み合わせて、その通俗化の過程で『大いなるセツの……』および『ペトロ黙示録』と共通する伝承を飲み込んでしまったのではないかと考えておくのが最も安全だろう。

面白いのは、ナグ・ハマディのどちらの文書にも「入れ替え」のモチーフが欠けているという点、そして、どちらの文書にもイエスが「笑っていた」「喜んでいた」というモチーフが存在するという点である。

（イエスの発言）……十字架を担いだのは別の者、シモンであった。彼らが茨の冠をかぶせたのは別の者であった。私は喜んでいた……そして彼らの無知を私は笑っていた。

（『大いなるセツの第二の教え』NHC VII, 2 p.56, 10ff. ＝邦訳§21／22）

（ペトロの問い）「……十字架の傍で喜んで笑っているのは誰ですか……」（イエスの答え）「あなたが見ている、十字架の傍で喜んで笑っている人物は、活けるイエスである。両手と両足を釘で打たれているのは、彼の肉的な部分……である」。

（『ペトロ黙示録』NHC VII, 3 p.81, 10ff. ＝邦訳§25／26）

細かい点ではもちろん相違があるけれども、あるいは逆にそれだからこそ、「笑い」「喜び」というモチーフの共通性が目を引く。イエスが受難の目撃者たちを、彼らの無知を笑う。バシレイデース／エイレナイオスの記事を先にパラフレーズしたのと同じことで、結局、この無知とは真のグノーシスを獲得していない読者一般、われわれ一般の無知として受け取るべきであろう。シモンがシモンでイエスがイエスなのか、イエスがシモンでシモンがイエスなのか、シモンもイエスもイエスなのか、イエスもシモンもシモンなのか――「姿」がどう見えるかにこだわっている限り、われわれは笑われてしまう。古代キリスト教史において仮現論は何種類も出てくるが、これはその中で最も挑発的で「考えさせられる」サンプルではないかと思われる。

もちろん、この考え方を徹底するなら、「自分自身とは何か」という問いを自分に発しなければならない。人間のアイデンティティーが相対化されてしまっているからである。あるいは、われわれは――古代のナイーブな人間と違って――「姿」以外のアイデンティティーを、もしくは究極的に「見かけ」と関係のない、どうしても取り替えようのないアイデンティティーを、本当に所有しているのだろうか？　バシレイデースのイエスは、コンサートでモーツァルトの「まことの体よ……」を聴くたびに――ちゃんと歌詞も意識して聴いているなら――さぞかしクスクス笑いして周囲の顰蹙《ひんしゅく》を買っていることだろう。

あともう一人、キリスト教グノーシスの立て役者が残っている。この人物の思想をグノーシスと呼ぶのには難しい問題があるのだが、その点を含めて、章を改めてから詳しく論じることにしたい。

第四章　マルキオン

1　マルキオンの教説

マルキオンとアドルフ・フォン・ハルナック

二世紀におけるキリスト教グノーシスの代表として本書で三番め、つまり最後に取り上げるのはマルキオンとその流派だが、三番めという順序に深い意味はない。ウァレンティノスやプトレマイオス、あるいはバシレイデースよりもマルキオンの方が年少だったというわけではない。そうだったのかもしれないが、そうでなかったかもしれない。年齢の細かい関係などは結局のところまったく不明であり、その意味で、誰をどういう順番で扱っても構わないのである。しかし、マルキオンの思想をグノーシスと呼ぶべきかどうかという問題を考慮すると、まずスタンダードなグノーシス主義者やグノーシス流派の方を先に紹介しておく方が便利である。そうしないと違いがわかりにくくなってしまうだろう。こうした計算から、本書ではマルキオンの出番を遅らせておいた。

もしかしたら、キリスト教の歴史における意義、そして後の時代における知名度（あるいは悪名度）という点において、むしろマルキオンの方がウァレンティノス（派）やバシレイデース（派）をしのいでいるかもしれない。現代における古代キリスト教史研究の基礎を築いたドイツの大学者アドルフ・フォン・ハルナック（一八五一〜一九三〇）は、マルキオンをオリジナリティーの点でパウロおよびアウグスティヌスと同列に扱い、また二世紀という歴史背景との関係では、マルキオンを一六世紀のルターと類比的に論じている。ついでだが、ハルナックによれば、ロシアの文豪トルストイはマルキオン派のキリスト教徒なのだという。「我々に伝わっているマルキオンのダイレクトな宗教的発言は、トルストイもそれとまったく同じことを書けたであろうし、もしマルキオンがトルストイの『惨めな者たちと憎まれた者たち』を読んだならば……自分と同じ思想をそこに見出して驚いただろう」（ハルナック『マルキオン』第二版、二三三頁、少々意訳）。

ハルナックは、教会史その他の分野における無数の著書や論文を通してだけでなく、教育者としても重要な人物であった。たとえば現代の新約聖書学を発明したルドルフ・ブルトマン、そしてスイスの大神学者で日本にも専門研究者の多いカール・バルトが、大学時代には一時ハルナックのもとで学んだ。特にバルトなど、師ハルナックとの思想的対決を媒介として自分の立場を築きあげていった弟子たちもあるが、そういうネガティブな、いや、それこそ本当の意味でポジティブな意味でも、やはりハルナックは巨大な人物であった。人物というより、ハルナックはひとつの歴史的現象であった。

ハルナック

時として日本でも、そして本場ドイツでも、ハルナックの時代はもう終わったというような評が聞かれる。しかし個々の学説に関してはともかく、ハルナックの時代はまだまだ決して終わっていない。トレルチだのバルトだのという一般受けするテーマもいいが、誰か、日本でも、ハルナックという人物／現象の総合的な研究に取り組んでほしいものである。ハルナックのトルストイ観なども、筆者がここで背伸びをして説明するより、そうした本格的な研究を待った方がいいだろう。ごく最近、日本でもハルナックをテーマとする単行本が出版された（巻末の文献案内を参照）。こうした地味とも見える研究が、これからも進展してほしいものである。

さてマルキオン、このテーマはハルナックのライフワークであった。『マルキオン』という表題のモノグラフィーは、一九二一年に初版、一九二四年に第二版が出版され、この第二版が世紀を越えた現在でもマルキオン研究のスタンダードになっている。ハルナックとしては晩年の作品だが、『マルキオン』初版の序言（署名の日付は刊行年より一年前の一九二〇年、第二版にも収録されている）で著者自身が証言しているところによれば、なんでも「五〇年前」、つまり一八七〇年、大学（現エストニアのドルパット大学）の懸賞論文のテーマがマルキオンになり、それに若きハルナックが応募して優勝したのだという。

普通の人がこんなことを書けば単に過去の栄光を懐かしむ（もしくは自慢する）だけになってしまうが、書いているのはハルナックである。ハルナックは、「マルキオンを通して私は新約聖書の本文批判、最も古い時代の教会史、バウア学派の歴史理解、そして組織神学の諸問題の手ほどきを受けた。これ以上に優れた手ほどきはない！」と書いている（ビックリマークもハルナックによる）。文字どおりの意味で、マルキオンがハルナックのライフワークなのである。

そして、マルキオンという研究分野ではまさにハルナックが生きている、それどころか仕切っている。もちろん、その後もマルキオン研究の専門書は世界各地で出されている。しかし、どれも部分的な問題を限定的・集中的に扱ったものか、ハルナックの縮約増補版とでも呼ぶべきものか、そうでなければゴミであった。新しくてかつ意味のある研究業績は、今のところ、マルキオンの特定の側面にテーマを絞った研究書や論文という形で出てくるだけである。ハルナックの『マルキオン』を過去のものにするような総合的な研究書は、もう八〇年以上、登場していない。それだけハルナックの業績が偉大だったのである（なお、ごく最近、右に挙げた若きハルナックの懸賞論文がドイツでついに出版された。今さらと感じる人もあろうが、ハルナックが現代でも「生き続けている」ことを象徴するニュースである）。

「一一五年と六ヵ月と半月」

思想内容に進む前に、とりあえずマルキオンという人物について、わかっていることを短く紹介しておこう。この時代におけるキリスト教の人物としては非常に珍しいことだが、マルキオンの生涯に関しては、ひとつだけ妙に細かいデータが伝わっている。「キリストとマルキオンの間は一一五年と六ヵ月と半月」だというのである。伝えているのは大部のマルキオン反駁書を残した「最初のラテン教父」テルトゥリアヌス（二〜三世紀）である。絶対的な証明はできないが、このデータがマルキオン教会の側から出てきたものであること、つまり当事者自身の側から出てきた信頼できる情報であることは間違いないだろう。

問題は「キリストとマルキオンの間」という曖昧な表現の意味だが、ともかく「キリスト」も「マルキオン」も何らかの時点を指していることは明らかであろう。「キリスト」についてだが、マルキオンの聖書（詳しくは後述）によれば「皇帝ティベリウスの一五年め」にイエス・キリストが登場したことになっている。世界史の年表を見ると、初代ローマ皇帝アウグストゥスが死んで二代めのティベリウスが即位したのは後一四年である。ということは、「キリスト」とは後二九年のことだという計算になる。これを後二九年という年の正月だと考えることにして（詳しい説明がない以上、ほかの時点は考えにくい）、それに「一一五年と六ヵ月と半月」を足すと、「後一四四年七月中旬」という期日が出てくる。これが「マルキオン」の意味する年月日になるわけだが、具体的に何を指しているのだろうか？

テルトゥリアヌスを含む別の情報源から、マルキオンは自己流のキリスト教会を設立したということがわかっている。普通これをわれわれは「マルキオン教会」と呼ぶが、あくまで「マルキオンの教説に基づくキリスト教会」という意味であり、キリストの代わりにマルキオンを宣教する新興宗教団体のような意味ではない。さて、ハルナックを含め、現代の研究者のほとんどが、「一四四年七月中旬」はこのマルキオン教会が設立された年月日であろうと考えている。

筆者もこれが正しいと思う。すごく大雑把な論証だが、ほかにありうるのはこの年月日をマルキオンの誕生もしくは死と結びつけることくらいであり、他の無数の伝承から考えてそれは時期的にまったく不自然である。ウァレンティノス、バシレイデース、マルキオンは、さまざまな証言から、大まかにではあれ、どうしても同時代の人間でないとつじつまが合わないのである。また、マルキオン教会が自らの「創立記念日」を祝っていた、少なくともその日を覚えていたという想定も何となく受け入れやすい。その情報が、テルトゥリアヌスに何らかの経路で伝わっていたのであろう。

マルキオンの生年や没年については、確かな情報がまったく残っていない。とりあえず、自派の教会を設立した一四四年の時点である程度は成人していただろうし、逆にもうヨレヨレということもなかっただろうと想像するのが関の山である。間接的な情報を収集・検討した上で、ハルナックは「後八五年頃～一六〇年頃」という仮説を出している。「頃」という留保をかなり広めの意味でとっておけばこれで間違いはないだろう。生まれた土地は小アジア半島（現トルコ）、黒海沿岸のローマ属州ポントスという地域である。この点は重要な伝承がすべて一致している。ポントスの中でも特にシノペという都市を挙げる伝えもあるが、これはあまりあてにならない。いずれにせよ、一四四年の教会設立を含めて、主たる活動地域はローマである。職業は「船主」だったという。もっともその実態――海運会社の社長クラスだったのか、自前の漁船を一隻所有していたという程度なのか――はわからない。

「船主」だったものがいったいどうして自分のキリスト教流派を立ち上げることになったのか、ぜひとも知りたいところだが、これも不明である。ただし、自派教会を設立する直前にはローマの教会――普通の、正統多数派の教会――に所属していたらしい。つまり、一四四年に正統多数派教会から決別し、独自の教会を創立したというわけである。ローマ教会に入会するにあたって二〇万セステルティウスという大金を寄付していたのだが、脱会のときにそれをまるごと突き返されたという伝えがある。

ともかく、一四四年からマルキオン独自の活動が始まり、すぐにかなりの成功を収めた。教父ユスティノスが一五〇年代にローマで書いた『第一弁明』によれば、マルキオンはまだ生きており、その教えは「全人類」に及んでしまっているという（二六・五）。ユスティノスはわざと大げさに書いているのだろうが、それでも、マルキオン教会がこの時点で盛んに活動していたことは間違いないだろう。マルキオンの著作活動、そしてマルキオン教会の歴史については後に改めて触れることにする。なお、マルキオン自身の生涯に関する話や情報は右に触れた以外にもいくつも伝わっているが、不確かなのですべて無視してよい。余計な情報に惑わされるのは百害あって一利なしである。

「異邦の神の福音」

さて、一挙にマルキオンの思想的・宗教的な核心部に入ってしまおう。イエス・キリストのもたらした「福音」＝「良い知らせ」＝「救いのメッセージ」を、マルキオンはどのように理解したのだろうか。まず、①正統多数派キリスト教と②一般的なグノーシスのキリスト論・神論を、③マルキオンのキリスト論・神論と並べて比較してみる。あくまでマルキオンとの相違を明らかにするためのイラストレーションであるから、それぞれある程度の図式化があってもここでは気にしないでいただきたい。本質的な部分がデフォルメされていることはないはずである。

①至高神＝創造神は、自らが造った人類を罪から救うべく、自らの子イエス・キリストを遣わして人類に福音を伝えた。

②至高神は、低劣な創造神が造った人類から、その中に取り残されている自分と同質の要素を救い出すべく、自らの子イエス・キリストを遣わして人類に福音を伝えた。

③至高神は、自らとは縁もゆかりもない低劣な創造神が造った、自らとは縁もゆかりもない人類

を、純粋な愛のゆえに、低劣な創造神の支配下から救い出して自分のもとに受け入れようとした。そのために至高神は自らの子イエス・キリストを遣わして人類に福音を伝えた。

①と②は、正統多数派教義対グノーシス教義というまさに犬猿の仲でありながら、③と較べるとひとつの本質的な点を共有している。どちらの図式でも、至高神は自分と何らかの形で結びついたものを救う。すなわち、至高神が救うのは自分自身の造った人間（①の図式）、あるいは少なくとも、人間の中に残されている、至高神自身と同質の要素（②の図式）である。いずれにしても至高神には、こうした救済行動に乗り出すべき動機がある。逆にいえば、人間には、あるいは人間内部の少なくとも一片には、救われるべき構造的もしくは歴史的な理由、あえていうならば、救われてしかるべき大義名分がある。

これに対して③の図式、つまりマルキオンの教説によれば、人間を構成する要素はすべて、百パーセント、創造神が造ったものである。人間は、イエス・キリストの父である至高神とはもともとまったく無関係であり、お互いに何の縁もゆかりもない。マルキオンの確信によれば、キリスト教が宣教する神はユダヤ教が宣教する創造神ではなく、はたまた人間の「本来的自己」の故郷であるプレーローマの神でもなく、この世界にとってまったくのニューカマーである。「異邦の神」「人間に縁のない神」「よそ者の神」――こうした表現がマルキオン教会では実際に多用されていたらしく、マルキオン反駁文書に頻出する。ハルナックも、ライフワーク『マルキオン』の副題に「異邦の神の福音」という言葉を選んでいる。

なぜ、神は縁もゆかりもない人間を救おうとするのか。それは、純粋な愛のゆえ、真の善のゆえなのだ、義務的な理由がないのに他者を助ける、それこそが究極の愛、究極の善ではないか――このようにマルキオンは考えたらしい。以下、マルキオンが奉じるこの神を、説明の便宜および学界の慣用に従って、グノーシス研究の一般概念である「至高神」ではなく、特に「善なる神」と呼ぶことにする。この神がイエス・キリストを通して人間にもたらした「異邦の神の福音」、それこそ、マルキオンが理解するところのキリスト教なのである。

論理的な弱点

③に要約したマルキオンの思想は、論理的に難しい問題をいくつも抱えている。そもそも「善なる神」、創造神、そして人間という三者の関係をどう説明するのか？　一般のグノーシス神話では、プトレマイオスのような流出説であれ、バシレイデースのような「種子」理論であれ、至高神↓創造神↓人間というラインを何らかの形で説明する一貫したストーリーがある。というより、こうしたストーリーを成立させるためにさまざまな神話が創作され、組み立てられたのである。ところがマルキオンにはそのような創作神話がない。したがって、「善なる神」と創造神の関係もきちんと説明できない。「善なる神」が救済の神であって、創造神はいわば悪役なのだから（ただし「悪の神」のような言い方ではなく、「裁きの神」という呼び方をマルキオンは好んでいた）、当然、力関係の点でも「善なる神」の方が上でなければならない。が、この力関係でさえ、理論的には説明することができない。マルキオンの「善なる神」は、理論的な整合性をまったく無視して、強引に天下ってくるような形になってい

る。

歴史的な側面でも同じような問題がある。イエスおよび「善なる神」の登場が、タイミング的にいかにも唐突なのである。「善なる神」というからには、そしてこの神が、愚かな創造神の圧迫に苦しむ哀れな人間を救うことができるのなら、なぜもっと早くから登場してくれなかったのか？　アダムとエバのことも、モーセやイザヤの時代の人々のことも。マカベア戦争時代の人々のことも無視していたのに、ローマ皇帝ティベリウスの時代になると、いきなりこの神さまは重い腰を上げて人類を救おうとする、いったい何のつもりなのか？　それまで何をしていたのか？　それが究極の善なのか？

さらに深刻なのは、罪の赦《ゆる》しをどう理解するべきかという問題である。イエス・キリストは、聖書に書いてあるとおり、人々の「罪」を赦す。正統多数派的な解釈によれば、人々の罪は——原罪説をとるならアダムを介して——人々が神＝創造神に対して犯した罪であり、その同じ神がイエス・キリストを遣わして人々の罪を赦免する。つまり、いわば被害者が加害者を自分から赦すわけで、ともかく筋は通っている。サッカーをやって隣家の窓ガラスを割ってしまった子供は、その家に謝りに行かされる。自分の親に謝ったり、交番に行って謝ったりしても、あまり意味がない。赦すことができる立場にあるのは、損害を被った立場の人だけである。

ところがマルキオンのように考えるなら、加害者（人間）を赦免するのが被害者（創造神）ではなく、第三者（善なる神／イエス・キリスト）だということになる。せめてこの第三者と被害者との間に何か特別の関係でもあるのなら、筋が通らなくもない。しかし、マルキオンによれば、この第三者とは異邦の神、人間（加害者）にとっても創造神（被害者）にとっても、あくまで見知らぬ存在なのである。

キリストが異邦の神の子であるとするなら、そのキリストがいきなりやってきて、いったい何を赦すというのか。

こうした論理的な弱点を、当時の反異端論者たちは激しく攻撃した。しかし、よく考えると、正統多数派教会のドグマも同じような問題を抱えている。「罪」と「赦し」については、理論的に整理するのが非常に難しい。とりわけ原罪説を採る場合、加害者—被害者の図式を維持するのは非常に困難であり、キリスト教の神学者は、現在に至るまで、「贖罪論」や「和解論」という題目でこのテーマを論じつづけている。「突然」という点は、イエス・キリストの誕生がなぜ今から一〇〇〇年前でも二五〇〇年前でもなく、二〇〇〇年前でなければならなかったのかという形で正統多数派教会にも跳ね返ってくる。特に「救済史」という神学分野がこの問題を扱っているが、イエスが「降誕」したのはなぜ二〇〇〇年前なのかという問いに依然として必然的かつ客観的な理由が見いだせないままでいることは、まず間違いない。

「善なる神」の位置づけは、もちろん正統多数派教会ではそもそも問題として成立しない。しかしマルキオンがこれを説明しようとしないのは、単純に頭が悪いからではなく、そもそも説明が不可能だからである。それがもし説明できるようなものなら、「善なる神」は異邦の神でないことになってしまう。マルキオンの「善なる神」と一般的なグノーシスの至高神との違いもここにある。一般的なグノーシスの至高神は、最も本質的なレベルで、人間にとって異邦どころか故郷の神である。だからこそ一般のグノーシスは、救済神話を創作して、至高神→創造神→人間の系図を説明することができる。前章で扱ったバシレイデースは、至高神の超越性を最大限に確保するため、下の世界との接触を「種子を置く」というたったひとつの行為に限定した。しかし、これでも接点があることに変わりはない。マルキオンはこれをも拒否し、至高神を——イエス・キリストの宣教を介して——唐突に、突然に登場させる。

キリスト教グノーシスとの関係——相違点

ここで、長らく保留にしてきた問題、マルキオンとキリスト教グノーシスの関係を片づけてしまおう。答えは、共通点もあるが、まったく違う点もあるということになる。今、ちょうど相違点の方に触れているところなので、こちらを先にまとめてみる。

キリスト教の福音をどう理解するかという観点からは、先に②と③で区別したとおり、そしてその後も繰り返したとおり、一般のグノーシスが人間の中に至高神と共通する要素を認めるのに対して、マルキオンはそれを認めないのが大きな違いである。人間の構造という点からビジュアル的に表現すれば、一般的なグノーシスの場合、創造神／宇宙／世界は暗闇、人間も大部分が暗闇、ただし人間の内部の核心部分——「霊」「魂」「火花」「本来的自己」その他、呼び方はさまざま——だけが光り輝いており、この輝きは宇宙を超越したプレーローマ世界の輝きと同質である。この「光の粒子」が、自らの本質を「認識」（グノーシス）した上で、闇の世界を脱出してプレーローマ／至高神のもとに帰還すること、それが人間の救済である。

これに対して、マルキオンの描く人間は、すみからすみまで真っ黒である。光の粒子のようなもの、救われるべき神的本質のようなものが人間にはまったくない。にもかかわらず善なる神は人間を憐れみ、創造神の造ったこの世界から人間を救い出してくれようとする。イエス・キリストの宣教に対する信仰を通して、この善なる神からの突然で不可解な申し出をありがたく受け取ること、それが人間にとっての救済である。

これで要点は尽きているが、副次的な相違としては、一般的なグノーシスが「認識」(グノーシス)というモチーフを重視するのに対してマルキオンはあくまで「信仰」にこだわること(ただし、イエス・キリストの父がユダヤ教の神ではない「善なる神」であるという一点だけは、「信じる」というより「知る」べき事柄である)、そして一般的なグノーシスは「光の粒子」がどうして宇宙/世界/人間身体の中に閉じ込められるようになったのかを説明しなければならず、そのため多彩な救済神話を創作するのに対して、マルキオンはそれをおこなわないという点が挙げられる。マルキオンにとっては、神の異邦性を確保するために、神話を創作することがそもそも許されないのである。

キリスト教グノーシスとの関係——共通点

さて今度は共通点を見よう。右のように書くとまるで正反対で、両者の共通点など考えられないように思えるかもしれない。しかし、うまく比較対照できればできるほど、その裏には確固とした共通点がある。本当にまったく違っているものは、そもそも比較することができないからである。

最も重要で基本的な共通点は二神論、すなわち新しい神性が導入されるということだろう。どちらも、ユダヤ教の神=創造神の他にもう一体の神を想定し、イエス・キリストをこちらの神とダイレクトに結びつける。一般的グノーシス主義もマルキオンも、ユダヤ教的なパラダイム、つまり待ち望んでいたメシアがついに到来したという図式から原始キリスト教の伝承を切り離し、キリスト教をまったく新しい普遍的・世界的な救済宗教として理解しようとする。ユダヤ教の神＝創造神を、それが製作した宇宙や世界の全体と一括してネガティブに評価するという点も、マルキオンと一般的なキリスト教グノーシスとの間の大きな共通点である。

もうひとつ、ちょっと細かいことだが、実は非常に面白くて重大な共通点に触れておきたい。それは、人間の何が救われるのかという問題である。一般のグノーシスは、救済にあずかるのは人間の「霊」なり「魂」なり「神的本質」なり「本来的自己」なり、どう呼ぼうとともかく人間内部の一部分に限定されているのであって、肉体は滅び去るものだと教える。これはグノーシスの人間観からして当然である。肉体は創造神の造った「この世」の一部にすぎないからである。これに対してマルキオンの場合はどうか。実はマルキオンも同じように、救われるのは人間の霊魂だけで、肉体は滅び去ると説いていた。

これのどこが面白いのか。マルキオンの教説によれば、人間は余すところなく創造神の作品である。霊魂と肉体、両方とも創造神による生産物である。ところが、「善なる神」が救うのは霊魂の方だけだという。なぜだろうか。どちらも「善なる神」には無関係のものなのに、どうして霊魂だけが優遇され、肉体だけが廃棄されるのか。

確かにこの点は、内部矛盾とはいわないまでも、マルキオン教説の構造的な弱点であり、反異端論者たちもこの弱点を喜んで指弾した。しかしわれわれにとって面白いのは、この論理的なほころびが、マルキオンを同時代の思想史の中に位置づけようとする際に、手掛かりとして使えそうだからである。

「霊魂だけが救われる」「肉体は滅びる」――マルキオンが（無反省のまま）共有していたこの了解は、どこから来ているのだろうか。もちろん、プラトンをはじめとするギリシア哲学の伝統を考えることもできる。しかし、マルキオンには専門的な哲学との接点が少ない。ウァレンティノスやプトレマイオス、ましてやバシレイデースが積んでいたような哲学的教養――悪くいえば、何でもかんでも哲学的／哲学史的な思考パターンで考えてしまうような性癖――を、マルキオンは持っていなかったらしい。なにしろ、本職は船主だったという。

キリスト教グノーシスとマルキオン――歴史的な関係

とすれば、先に触れた二神論など一般的なグノーシスとの共通点も考えあわせて、マルキオンがキリスト教グノーシスから一定の影響を受けたのだと考えるのが、方向性として正しいように思えてくる。先に、マルキオンの生涯の詳細、特に、重要な一四四年の自派教会設立以前のことがほとんど何もわかっていないと書いたが、ともかく、マルキオンがそれ以前からキリスト教徒になっていたことは間違いない。

当時はまだまだ正統多数派ドグマが確立する前、教会組織からの締め付けが皆無に等しかった時代である。したがって、マルキオンがキリスト教グノーシスの考え方に触れる機会はいくらでもあっただろう。船主として古代地中海世界の各地を巡るような立場にあったとすればなおさらである。その一方で、マルキオンと一般的なキリスト教グノーシスの関係を逆に、つまりマルキオンがすべての震源地だったように考えるのは、時代的にも、内容的にもまったく不自然である。

もっとも、ウァレンティノスとバシレイデースに代表されるキリスト教グノーシスの大立て者とマルキオンはほぼ同じ世代に活躍したと考えなければならないわけだから、マルキオンに影響を及ぼしたのは、二世紀中ごろにクライマックスを迎えるより以前のキリスト教グノーシスだということになる。すると話はグノーシスの歴史ということになってしまう。グノーシスの歴史については本書でも第五章で少し扱う予定だが、結局、はっきりした結論は出ない。

一応、ケルドーンという名のグノーシス主義者がマルキオンの教師だったという伝えがあり、現在でもこの説を踏襲する研究書・参考書がある（ハルナックも）。しかし、ハルナック以降の研究によって、これが明らかに俗説、すべてのグノーシスが魔術師シモンに遡《さかのぼ》るという強引な系譜作り（本書第五章参照）と同じレベルの話であって、学問的には使えないということが明らかにされている。

マルキオンはグノーシス主義者でないと主張したのは、誰よりもアドルフ・フォン・ハルナックであった。ハルナックは相違点の方を強調したのである。もちろん、それには右に挙げたように十分な理由がある。それに加えて、いかに歴史的な大学者ハルナックであろうと、自分のライフワークを特別視したいという無意識のこだわりがなかったわけでもないだろう。これに対してマルキオンをグノーシス主義者の一人として扱った代表者はハンス・ヨナスである。ヨナスが書いた一般読者向けの著書『グノーシスの宗教』によれば、「宇宙の神に対する知られざる神の観念、劣等的な専制君主としての創造者の観念、およびそこから帰結する、その権力からの異邦の原理による解放としての救済観――そういったマルキオンの主張はすべてグノーシス的であり、この歴史的状況の中でそれを説く者は、誰であれグノーシス派の一人に数えられねばならない。分類上そうであるばかりでなく、当時広まっていたグノーシス的諸観念が実質的にマルキオンの思想を形づくったという意味において、彼はグノーシス派なのである」(邦訳一九一頁)。

もちろんヨナスにしても、あるいはそれを踏襲するK・ルドルフにしても、マルキオンに特別な側面があることは十分に認めている。その上で、いわば教会史・キリスト教思想史の大きな流れから、マルキオンをやはりキリスト教グノーシスの中に位置づけようとするのである。筆者も、同じ言葉を繰り返すが、方向性としてはこれが正しいと思う。キリスト教グノーシスがなければマルキオンはなかっただろう、しかしマルキオンがなくてもキリスト教グノーシスはあった——こうした意味における依存関係はどうしても動かせない。

マルキオンの魔力——「無償の愛」「究極の善」

しかし、それにしてもマルキオン独特の考え方には何か魅惑的なものがある。あえて現代的・日常的なイメージを持ち込んでみたい。たとえば「無償の愛」という言葉がある。とりあえずこれを「見返りを求めない善意」と言い換えるなら、今日、日本でもどこでも、街に出ればそれに出会うことがある。知らない人が親切に道を教えてくれたとか、バスで荷物を置き忘れかけたら誰かが声をかけてくれたとか、そのようなちょっとした出来事でも、自分が時間的・物的・精神的な損害を免れたという事実とはまったく別の次元で、何だか特別にうれしいものである。親切にしてもらうというだけなら、家族からでも、友人からでも、大学の学生や先生からでも、「うれしい」とか「ありがたい」と感じることはいくらでもある。しかしこれは、まったく知らない人から助けてもらうのとは違う。「海よりも深い」という親の愛は、またまた次元が別になってしまうだろうけれども、やはり見知らぬ人から受ける親切とは種類がまったく違っている。あかの他人から受ける善意は、それをその人にお返しすることができない、後から（重ねて）お礼できる可能性がない、まさに一期一会だ、そういう点が特別なのだろうか。しかし、それだけではないような気もする。

新約聖書では、イエスが次のように語る（『ルカ福音書』六章二七〜三五節）。

敵を愛しなさい……自分を愛してくれる人を愛したところで、あなたがたにどんな恵みがあろうか。罪びとでも、愛してくれる人を愛している。自分に良くしてくれる人に良いことをしたところで、どんな恵みがあろうか。罪びとでも同じことをしている。返してもらうことを当てにして貸したところで、どんな恵みがあろうか。罪びとでさえ、同じものを返してもらおうとして、罪びとに貸す。

しかし、あなたがたは敵を愛しなさい。人に良いことをし、何も当てにしないで貸しなさい。そうすれば、あなたがたは「いと高き者」の子となる。この方ご自身が、恩を知らない者にも悪人にも、情け深いのだから。

聖書の中でも特に広く知られたこの言葉（『マタイ福音書』の五章にも同じような言葉が記録されている）は、「愛敵の教え」などとも呼ばれ、キリスト教の「愛の宗教」的な側面を象徴する名セリフである。「敵」といっても、「人に良いことをし……何も当てにしないで……」というような言葉が挟まっていることからもわかるように、厳密な意味での「敵対者」「嫌いなやつ」に対する態度のことだけを言っているのだと偏狭に解釈する必要はない。マルキオンもこれを読んだだろうことは、マルキオン聖書との関連で後に説明する理由から、まったく疑いの余地がない。とすれば、当然ながら、右に出てくる「いと高き者」という言葉を、マルキオンは自分が信じる「善なる神」という意味で解釈し、またそのように人々に説いただろうと考えられる。

新約聖書の右の箇所におけるイエス・キリストの言葉と、マルキオンが考えていた「異邦の神」という思想との間に、数々の理論的な難点を飛び越えたところで、それでも、宗教的な使信として、もしくは、ある種「いやし系」のメッセージとして、何か深く共鳴しあうものがあるような感覚をおぼえる人は、おそらく、決して少なくないだろう。貸し借りであるとか、恩義や忠義であるとか、権利と義務であるとか、ギブ・アンド・テイクであるとか、実社会のルールであるとか、そうした各種のしがらみや制度とは無関係な場所に、マルキオンはイエスの福音を見ようとした。そして福音書においても、イエスが社会的・制度的な行動規範を度外視した次元で語り、また振る舞っているような箇所には事欠かない。

とはいえ、こうした面だけが福音書におけるイエス・キリストのすべてではないし、ましてや新約聖書全体や旧約聖書まで視野に入れれば、むしろ、「無償の愛」のようなメッセージは聖書のごく一部分を占めるにすぎない。つまり――今、とりあえず聖書正典成立のプロセスという歴史的な問題をあえてカッコに入れ、さらに要点を一言だけに集約して言うなら――マルキオンは聖書の一部分しか認めようとしなかった。そうまでして、マルキオンは自分の宗教的信念を貫こうとしたのである。

マルキオン派教会その後

マルキオンの聖書というテーマは後に改めて取り上げることにして、マルキオンが組織した教会について、その後のことを簡単に紹介しておく。

先に触れたとおり、多数派教会から決別したマルキオンは、おそらく一四四年七月に独自の教会組織を立ち上げ、その教会は、一五〇年代にユスティノスが証言しているように、かなりの勢いで発展を見せた。しかし、その後の衰えもかなり急速だったらしい。少なくともローマ帝国の西方領域に関する限り、もう三世紀には、マルキオン教会やマルキオン派キリスト教徒の姿はほとんど見られなくなっていたのではないかと思われる。なお、マルキオン自身の正確な没年はまったくわからない。

確かに、二〇〇年を過ぎたころにカルタゴ（属州アフリカ、現チュニジア）のテルトゥリアヌスという教父がラテン語で『マルキオン反駁』という大部の著作を書き、またほぼ同時代のヒッポリュトスというローマの教父は、ギリシア語で書かれた『全異端反駁』という文書で、マルキオン派への反駁を比較的詳しくおこなっている。しかしこのことは、テルトゥリアヌスやヒッポリュトスの時代や地域においてマルキオン派が元気に活動していたことの証拠にはならない。ちょっと意外なことだが、古代キリスト教会の異端反駁文書というものは、たとえば書簡や説教などとは違って、必ずしも、切迫したアクチュアルな問題を取り上げるものではなかった。むしろ、正統多数派信仰の華々しい勝利を記録する、あるいは異端教説をテコにして著者が自分の神学的思索を展開する、といったような面が濃厚だったのである。この問題にここで深く立ち入ることはできないが、文献のおもて向きの体裁と、それが果たしていた実際の役割というものを安易に混同しないことが、歴史研究でも、文献学研究でも、重要になってくる。

よくよく考えてみても、テルトゥリアヌスの『マルキオン反駁』などの場合、あの膨大で詳細なテキストが、マルキオン派とサシで言い争うという現場で使い物になったとは想像しがたい。この作品をもとに、実践的な抜粋のようなものが作られたという形跡もない。『マルキオン反駁』が最終的に完成したのは二〇七年とか二〇八年だろうといわれているが、そうであるとすれば、この年代はカルタゴにおいてマルキオン教会が活動を続けていた時期の目安――この時期までは活動していた――ではなく、逆に、その活動が終わっていた時期の目安――この時期にはもう実質的に消えていた――と考える方が、歴史的に適切だろう。ヒッポリュトスの著作は、題名のとおり、過去のすべての異端者を断罪するという趣旨の作品であり、取り上げられている個々の流派の時代的なアクチュアリティーはもともと希薄である。

では確かにマルキオン派が活動していたという証拠はどの程度あるのかという話になってくるが、二世紀末のころなら、ロドンという小アジア出身で正統多数派教会側の人物が、おそらくローマで、アペレスという人物と公開討論をおこなったという記録が残っている（四世紀のキリスト教歴史家エウセビオスがその典拠）。このアペレスは、もともとマルキオンの弟子で、しかし微妙な教義上の理由で後に離反し、自らの流派を興したということがわかっている。

ちなみにアペレスは、旧約聖書はでたらめだということを証明すべく、『創世記』第六章以下の有名な「ノアの方舟」物語を科学的に分析した。神（創造神）が人類と生物の大粛清に乗り出し、地上に大洪水を引き起こす。その際、神の命令にしたがって義人ノアが「方舟」を建造し、ノアの一家およびすべての動物ひとつがいずつが、これに乗り込んで洪水を生き延びた、そしてそこから再び全人類と全動物が繁殖した、という話である。『創世記』には、建造された方舟のサイズが記されている。

ところが、アペレスはこの箇所に目をつけ、書かれているとおりの舟のサイズだと、すべての動物をオス・メスのセットで収容するどころか、入るのはせいぜい「象が四頭」程度だったはずだと主張したのである。これに対しては、後に文献を通してこの問題を知った正統側の教父オリゲネス（二五三ごろ没）が詳細な反論を展開することになる。ばかばかしい議論に感じられなくもないが、聖書を信じるのか信じないのかという瀬戸際に立たされたつもりになってみれば、これが当事者にとっては十分に深刻な問題になりえたということも納得できるだろう。

話を戻すが、残念ながら、ロドンとアペレスの討論がいつおこなわれたのか、正確なデータは残っていない。一説には一八〇〜一九〇年といわれている。アペレスがこのときにかつての師匠マルキオンの説を熱っぽく批判したらしいこと、またロドンは、アペレス以外に、忠実なマルキオン派の人物たちとも論争していたらしいことから、大まかにではあるが、二世紀が終わり近くになるころまでなら、まだマルキオン派教会（およびそこから出たアペレス派教会）の活動が継続していたと考えていいだろう。ローマ以外でも、西方世界では同じような状況だったと考えても大きく誤ることはないだろうと思われる。ルグドゥヌム（現フランス・リヨン）の司教で、これまでに何度も触れた『異端反駁』を一八〇年ごろに書いたエイレナイオスは、もちろんマルキオン派も反駁の対象にしている。しかしエイレナイオスがご当地のマルキオン派を直接に知っていたのかどうか、つまり当時のリヨンにマルキオン派教会があって活動を続けていたのかどうかは、残念ながら何ともいえない。ほかに残されている記録をここですべて検討するわけにはいかないが、いずれにしても、マルキオン教会の活発な活動は、西方では二世紀のうちまでだった、という判断は動かせないところであろう。

これに対して東方のギリシア語圏、さらにはもっと東方のオリエント・セム語圏では、マルキオン派教会が——細々とではあっても——かなりの長寿を保っていたらしい。たとえば四世紀シリアの教父エデッサのエフライムという人物は、異端者をすべて羅列してなぎ倒すというスタイルの『異端を反駁する賛歌』という作品を書いており、この中でマルキオン派にも触れている。もっとも、このスタイルは、先に述べたように、文書執筆の地域と時代に反駁相手が実在して活動し、教会を脅かしていたことの確かな証拠にはなりにくい。この文書が面白いのは、賛歌という詩的な形式で異端反駁をおこなっているという点だが、これは本書のテーマと無関係なので、これ以上触れない。

もっと重要なのは、このエフライムが、今紹介した作品とは別に、バルダイサン（二世紀）、マルキオン、そしてマニ（三世紀以降）という三つの流派だけにターゲットを絞った反駁書を書いているということである。この文書には、たとえばマルキオンやマルキオン派教会についても、歴史的な信憑性の問題は二の次として、ともかく二世紀のうちから西方において伝えられてきたのとは別系統の伝承がかなり含まれている。このことは、オリエントのシリアにおいてはマルキオン派教会が西方とは異なる歴史を辿ったこと、そしてそれが四世紀というエフライムの時代にもまだ勢力を残していた、という可能性を示している。

ここでも史料の詳細な紹介と分析をおこなうことはできないが、ギリシア語圏をも含めて、東の方ではマルキオン派教会が西に較べて長く生き残ったことは確かなようである。マルキオン派教会の最終的な消滅は、キリスト教史の一般的な事典や教科書では「六世紀」と記されることが多い。このあたりのことは、語学的な障壁もあって、筆者はあまり自信をもった発言ができない。ぜひオリエント系の語学（シリア語、アラビア語、アルメニア語等）を使いこなせる専門家に、マルキオン派のことをも含めた初期オリエント・キリスト教会史について、信頼できるオリジナルな概説書を日本語でひとつ書いてほしいものである。

以上をまとめれば、マルキオン派教会が西では二世紀末、東では（地域によって、遅くとも）六世紀ごろには消滅した、ということになる。ただし、これは人的・社会的な組織としての話であって、マルキオン派に由来する思想や信仰が消え去ったというわけではない。右で挙げたエフライムの著作でもマルキオンがマニ教と並べられていたが、マルキオン派の伝統の一部分は、実際、マニ教によって継承され、発展されることになる。これは、マルキオンおよびマルキオン派の文書活動と重なってくるので、次に、段落をあらためて、「マルキオンの聖書」と呼ばれるものについて説明することにしたい。

2　マルキオンの聖書

聖書、聖典、正典

キリスト教には「聖書」というものがあって、「旧約聖書」と「新約聖書」の二部から成っており、クリスチャンにとって非常に重要で大切なものだ——この程度のことは、キリスト教に特に縁もなければ興味もないという人でも、何となく知っている、せめて聞いたことはある話だろう。周知のとおり英語では聖書のことを「バイブル」(Bible) と呼ぶが、「クッキング・バイブル」のような形でこれを転義的に利用している出版物の数は、宗教的な意味でキリスト教国であるとは言えない日本においても、数限りない。今、ためしにインターネットの某オンライン書店で「バイブル」だけをキーワードにして単純な検索をかけてみたところ、和書だけで「全一五八七件」という結果だった。ちなみにBibleという言葉の語源だが、こちらは古代ギリシア語の biblion (ビブリオン) であって、単純に「本」とか「冊子」という意味であった。つまり、「バイブル＝(大切で重要な) 本」という等式は、日本の出版業界における販売促進のテクニックとして利用されているだけでなく、西洋の文化、歴史、さらには言語にまで、深く根をおろしている。

キリスト教の歴史に話を戻すが、学校で世界史をやった人なら、たとえば、昔、ルターという人が聖書の絶対的な権威を唱えて当時のカトリック教会に反旗をひるがえし、これによってプロテスタント教会というものができたという宗教改革のことを習ったはずである。一五〜一六世紀の宗教改革のころはどうであれ、現在では、プロテスタント系の諸派も、ローマ・カトリック教会も、またギリシア正教と一般に呼ばれている諸派、すなわちロシアや東欧圏で普及している東方教会系の諸派も、ニュアンスの差はあれ、聖書をきわめて神聖なものとして認め、大事にしている。聖書の権威を認めないという人があれば、そのこと自体はその人の自由であるが、その上で「キリスト教徒」を名乗ることはできない。それは、これまで二〇〇〇年近くにわたる歴史の結果として、「キリスト教」や「キリスト教徒」「クリスチャン」という概念に、「聖書を全体として神聖な権威として認める」という意味内容が組み込まれてしまっているためである。これは、伝統とか信仰を強制する・しないという問題ではなく、定義ないしは言語習慣の問題である。

したがって、聖書の中でどうしても納得しかねるような、神聖だとはとても言い難いように感じられるような部分があった場合、たとえば旧約聖書の血なまぐさい戦いの部分や、イスラエル民族が競合民族を抹殺するという場面（「聖絶」と呼ばれ、神が命令したものとされる）、また新約聖書ならば非科学的な奇蹟物語、あるいは女性や病気に関する差別的な発言その他に対して、普通は、そこには目をつぶってもっぱら他の箇所を愛読するなり、歴史的な制約や習慣だとして我慢するなり、アレゴリー的な解釈に走って字義どおりの意味を乗り越えようとするなり、やり方はいろいろ考えられるし、実際、キリスト教史の中でも、さまざまな方策がとられてきた。しかし、キリスト教会の内部にあって、そうした部分を聖書から正式に除去してしまおうという試みは、これまでも成功しなかったし、これからも不可能だろう。どうしてもそうしたい人は、「キリスト教」という看板を外してゼロから新興宗教を始めた方が、キリスト教外部からも、またキリスト教内部からも、まだしも認知されやすいだろう。

このように聖書は、キリスト教において、単に神聖であるという意味のみならず、一般社会における憲法や法律のような役割も帯びている。それを全体として守ること、全体として承認することによってはじめて、教会という組織が成立するのである。このような意味における聖書のことを、専門用語だが、「正典」と呼ぶ。原語はギリシア語／ラテン語の「カノン」で、「物差し」転じて「規範」といった意味である。守られるべき「ルール」のような、法的なニュアンスがかなり強い言葉である。

日本語には「聖典」という同音異義語があって混乱しがちだが、正しく区別しておく必要がある。「聖典」は単に神聖な文書であって、もちろん聖書はこの意味においてキリスト教会の「聖典」でもあるわけだが、他の宗教も、ほとんど、それぞれ独自の「聖典」を有している。これに対して「正典」は、ある宗教がある文書集を明確かつ排他的な形で特定し、それに規範的な役割を負わせるという特別な仕組みを前提にしている。キリスト教、ユダヤ教、そしてイスラム教はこれに該当し、それぞれ旧新約聖書、（ユダヤ教の）聖書（＝キリスト教の旧約聖書に対応）、そしてコーランが「正典」となっている。これに対して、たとえば仏教の場合、「聖典」はたくさんあるけれども（仏典）、その中のどれには拘束力があってどれには拘束力がなくて……という線引きを一般におこなっているわけではないので、「正典」は存在しない。

仏教の例からもわかるように、宗教組織が成り立つために必ず「正典」が必要だというわけではない。また、キリスト教も、最初の最初から、正典の存在を前提にして成り立ってきたわけではない。

では、キリスト教はどのようにして正典をもつようになり、それに対応した体制を整えていったのだろうか。この歴史的な問題と関連して、またしてもマルキオンの名が登場することになる。

新約聖書の構成

まず、現在の新約聖書がどのように構成されているかを、マルキオン聖書の話に入る前に紹介しておこう。知っている人は知っていることだが、一般の非クリスチャンには、あまり縁のなかった事柄かもしれないからである。

図を一見してわかるように、それぞれの文書は、出来上がった年代も（そして場所も）、かなりバラバラである。つまり新約聖書は、文書集だとはいっても、たとえば現代の共著スタイルの出版物の場合、編集者なり監修者なりが具体的な出版プランをまず決定し、それに合わせて寄稿者を選定し、集まってきた原稿に監修者がひととおり目を通して……というような手順を踏んで出来上がるものだが、それとは違っている。まったく逆に、全体に目を配る編集者や監修者もいなければ、執筆者同士もまったくお互いのことを意識せず、そもそも執筆や成立の年代からしてバラバラといった具合だったのである。パウロや「ルカ」など、同一人物が複数の文書を書いていたり、一部の文書同士に依存関係が見られるという問題もあるが、これはとりあえず別の話で、また、全能の神なり聖霊なりがすべてに配慮したのだという信仰もここでは度外視しよう。この二七文書は、あくまで事後的、二次的に合体したのである。

こう書くと、あたかも新約各文書のオーソリティーを軽蔑しているかのようにとられかねないの

分類	書名	成立年代	その他
福音書			
共観福音書	マタイ福音書	90年前後	正式には『マタイによる福音書』のように呼ばれる。
	マルコ福音書	70年過ぎ	
	ルカ福音書	90年前後	
	ヨハネ福音書	90年代	
使徒行伝			
	使徒行伝（使徒言行録）	90年代	『ルカ福音書』と同じ著者。
書簡			
パウロ書簡（広義の） ＊が付されているのはパウロの真筆。それ以外は「第二パウロ」と呼ぶ。『ヘブライ人…』を第二パウロに含めることも。	ローマ人への手紙＊	50年代	
	コリント人への手紙　Ⅰ＊	50年代	
	コリント人への手紙　Ⅱ＊	50年代	
	ガラテヤ人への手紙＊	50年代	
	エフェソ人への手紙	100年頃	
	フィリピ人への手紙＊	50年代	
	コロサイ人への手紙	80年代	
	テサロニケ人への手紙　Ⅰ＊	50年代初め	
	テサロニケ人への手紙　Ⅱ	90年代	
	テモテへの手紙　Ⅰ	100年前後	牧会書簡
	テモテへの手紙　Ⅱ		
	テトスへの手紙		
	フィレモンへの手紙＊	50年代	
	ヘブライ人への手紙	80年代	
公同書簡	ヤコブの手紙	80年代？	
	ペトロの手紙　Ⅰ	90年代後半	
	ペトロの手紙　Ⅱ	２世紀半ば	
	ヨハネの手紙　Ⅰ	90年代	『ヨハネ福音書』とあわせて「ヨハネ文書」と呼ぶ。
	ヨハネの手紙　Ⅱ		
	ヨハネの手紙　Ⅲ		
	ユダの手紙	100年頃	
黙示録			
	ヨハネの黙示録	90年代後半	

新約聖書正典27文書の一覧

成立年代はいずれも推定。なお言語はすべて（古典）ギリシア語。パウロ真筆の書簡以外はすべて著者を特定することが不可能な偽名書。

で、急いで補足しておこう。たとえ結果論であれ、新約聖書には、古代キリスト教の歴史において残存する最古の文書がほぼ顔を揃えている。古さという点において、少々の例外はあるものの、まずベストメンバーがここに揃っていると考えてよい。書物というものがすべて手書きで複製され、流布していった時代、文書が残っているということは、実際に読み継がれたということにほかならない。ニーズがなければ、誰もわざわざ長文のテキストを書き写そうとはしないからである。そして、特に古い文書がいつまでも残存しているということは、それが一過性のブームを引き起こして広く読まれたというのではなく、それこそ一時も途切れることなく、世代を超えて人々に読まれつづけ、したがって一貫して歴史に影響を及ぼしつづけてきたということを意味している。

これがつまりは「古典」であるが、キリスト教の場合、最初期からずっとその歴史を担い、動かしてきた生え抜きのテキストが、結果として特別の権威を付与され、集合してひとつの文集となり、「正典」に定められたというわけである。こう考えてあらためて新約聖書のリストを眺めれば、この組み合わせは、誰かが「よさそうだ」と思った文書を適当に集めたようなものではなく、むしろ「なるべくしてなった」といっても構わないほどのものであることがわかる。

さて、新約聖書の構成がこのような二七文書として固定した、ないし結晶したのはいつごろだろうか。『ペトロの手紙　二』のように二世紀半ばごろに書かれた文書が含まれているわけだから、もちろん、それ以前ではありえない。一般に、答えは四世紀後半のころだとされる。シンボリックな記録として、アレクサンドリアの司教アタナシオスという人物が三六九年に出した『第三十九復活節書簡』というものがよく取り上げられる。この中で、アタナシオスは右の二七文書をリストアップし、「これに何かを足しても、またこれから何かを引いてもいけない」という意味のことを指示している。もっとも、アタナシオスがそれを世界中のキリスト教会に命令できるほどの権威者だったのかというと、事実はそのとおりではまったくないし（何しろ任地アレクサンドリアから総計五回も追放されたほどの「大物」である）、逆にこのころには、別にアタナシオスが発言しなくても、「正典」の構成文書は現行のとおりでほぼ固まっていた。右に記したように、本当の意味で「正典」のリストを定めたのは、個人ではなく、初期キリスト教の歴史そのものなのである。

正典成立の歴史という視点から見るなら、四世紀前半までの時代は、この二七文書が次第に固まっていったプロセスに相当する。パウロ書簡や四福音書などは早い時期から権威を認められていたし、たとえば『ヨハネ黙示録』という文書などは、最も遅くまでその権威が争われていた。こうした問題については、「新約聖書緒論」というジャンルの本、あるいは各文書の専門的な注釈書でも参照すれば、それぞれがいつごろ正典としての権威を認められるようになったのかという問題も詳しく解説されている。本書でこれから扱いたいのは、この正典を決めるというプロセスそのものがいつから始まったのか、言い換えれば、キリスト教の歴史において、権威ある書物を排他的に特定してしまうというアイディアがどこに由来するのかという問題である。そこで再び、マルキオンの出番になる。

マルキオンの聖書

ちょっと復習すると、マルキオンがローマで正統多数派教会から決裂して独自のキリスト教会を設立したのは後一四四年と想定される。このマルキオン派教会が団体としてどのように組織されていたのか、詳しいことはわからない。はっきりしているのは、マルキオン独自の新機軸として「マルキオンの聖書」というものがあり、これがマルキオン教会で使用されていたということである。その歴史的意義については後回しにして、とりあえずそれがどういう形をしていたのかを紹介しておこう。

マルキオンの聖書	
福音（書）	（『ルカ福音書』）
使徒（書）	『ガラテヤ人への手紙』 『コリント人への手紙　一』 『コリント人への手紙　二』 『ローマ人への手紙』 『テサロニケ人への手紙　一』 『テサロニケ人への手紙　二』 『ラオデキア人への手紙』（＝『エフェソ人への手紙』） 『コロサイ人への手紙』 『フィリピ人への手紙』 『フィレモンへの手紙』

つまり、これは先に挙げた新約聖書から『ルカ福音書』とパウロの手紙一〇通だけを取り出して並

べた形になっている。もっとも、この時代には新約聖書のあのリストがまだ決まっていないわけだから、「取り出した」と書くと本当は時代錯誤である。ともかく、マルキオンはこれら合計一一の文書だけを集めて自派教会で使わせた。なお、マルキオンはこのほかに『対立論』(Antitheseis)と一般に呼ばれる作品を書き、『福音書』や『使徒書』の内容が旧約聖書つまりユダヤ教の聖書と対立しているということを多数の引用によって証明しようとした。しかし、この作品についてここではこれ以上触れないでよい。

マルキオンの聖書に戻って、右のリストに補足をいくつか加えておく。「福音(書)」という書き方にしたのは、「福音」と呼ぶか「福音書」と呼ぶかが微妙なところだからである。原語は「エウアンゲリオン」で、抽象的な「福音」という意味にも、それを文書の形で書き表した「福音書」という意味にもなりうる。日本語に訳すときだけ、この区別が出てきてしまうのである。「使徒(書)」についても同じである。これは、「福音書」なり「使徒書」なりという文学類型がマルキオンの時代に定着していたのかどうかという難しい問題になってしまうので、ここでは立ち入らない。

『ルカ福音書』が括弧に入っているのは、元来、マルキオン聖書においては「福音(書)」がそのまま書名で、「ルカ」という名前は書かれていなかったからである。しかし中身がどう見ても『ルカ福音書』に基づいているので、便宜上、それがわかるようにしておいた。「使徒(書)」については、すべてパウロ書簡だが(真筆性の問題はこの当時意識されていなかった)、右のような順序に配列されていたらしい。『ラオデキア人への手紙』という見慣れない表題のものがあるが、これは『エフェソ人への手紙』に基づいていることが中身を見るとわかるので、括弧に入れて補足しておいた。

「基づいている」という表現を右に二回使ったが、実は、マルキオンは右記の合計一一文書を改作していた。したがって、本来なら、右のリストすべての最後に「……の改作」という言葉をつけるべきである。煩雑になるのを防ぐためにそれは避けたが、「マルキオンの聖書」と言う場合には、右記の各文書をそれぞれ改作して並べたものだということを忘れてはならない。

「改竄者」か「文献学者」か

テキストを改作するというと、現代なら不正行為で、むしろ「改竄《かいざん》」という言葉を使うべきところだろう。ましてや聖書のごとく神聖な文書に手を加えるとなると、バチが当たりそうである。しかし、やはり何事もまずその時代から理解することを心がけなければならない。

マルキオンがやろうとしたのは、伝承されてきた原始キリスト教のテキストから、ユダヤ教的な要素を削除するということであった。マルキオンは、先に述べたように、イエス・キリストの父なる神はユダヤの神＝創造神とは別の存在であり、キリスト教のメッセージは、ユダヤ教や旧約聖書の世界観を脱却して、「異邦の神の福音」として受け取られるべきだと考えていた。

ところが、当時の一般のクリスチャンはイエス・キリストの父イコール創造神だと信じてしまっているし、歴代の人々も同じ誤解にとりつかれていた。そのため、イエスの本当の福音も、またそれを正しく理解していた唯一の人物である使徒パウロも、いわばユダヤ教の色眼鏡を通した形で受け取られてきた。その結果、福音書もパウロ書簡も、ユダヤ教的な要素の混入によって、テキストの字句というレベルから歪められてしまった――マルキオンはこのように考えていた。そこで、二次的に付加された要素を除去し、福音書とパウロ書簡の正しいテキストを再現しようというわけである。

このような立場をとりあえず受け入れるなら、マルキオンがおこなったのは改作や、ましてや改竄などではなく、むしろ原テキストの復元、原状回復であったということになる。マルキオン反駁に精力を費やした正統多数派教会の教父たちは、当然、テキスト改竄者としてのマルキオンをやり玉に挙げてきた。それに対して、先に名を挙げたマルキオン研究の大御所ハルナックは、マルキオンを「文献学者」とまで呼び、この側面をポジティブに評価している。

では、われわれは、聖書テキストに対するマルキオンの姿勢をどのように評価するべきだろうか。ともかく、テキストが伝承の過程で変形をこうむるということは、実際にある。なにしろ手書きで筆写するのだから、まず機械的なミスが避けられない。その上、特に宗教的なテキストの場合、写字生の手によって、意図的にテキストが変更されることがある。多くは、イエスについて「神の子」のような尊称を追加してしまうというような小さな変更だが、時には大きな変更も見られる。新約聖書の校訂本を眺めれば、機械的なミスとしては説明できない異読がいくつでも見つかる。

さらにいえば、たとえば『マタイ福音書』と『ルカ福音書』は『マルコ福音書』（および現存しないもうひとつ別の文書）を断り書きもなく利用しているとか（いわゆる「二資料仮説」）、『コリント人への手紙　二』は明らかに複数の書簡を二次的に合成・編集して出来上がったものだとか、パウロの名つまり権威を借りて他人が書いた偽名文書があるとか（「第二パウロ書簡」）、現代の著作倫理では許されないであろう行為が、新約聖書所収の文献において平気でおこなわれていた。つまるところ、文書ないしテキストというものに対する関わり方が、当時は、現在よりもルーズ、よくいえば自由であった。

そういう環境の中で、テキストが変形してしまうという現象に気づいたマルキオンは、原初の福音をテキスト研究によって復元するというプランを抱き、実行したのであろう。したがって、この作業を単純に改竄扱いするのは、歴史的に見て公平な判断だとはいいがたい。

かといって、ハルナックのように「文献学」という概念を持ち込むのにも、筆者としては、違和感がないでもない。というのは、文献学という意味では、はるか紀元前の時代の学者たち、とりわけアレクサンドリアの研究所（ムーセイオン）と大図書館を拠点にして活動していた学者たちのことが連想されてしまうからで、近現代の西洋古典文献学も、結局のところ、このアレクサンドリア文献学の理念をそのまま継承している。つまり、写本伝承を可能な限り集めて比較し、分析し、元来のテキストを確定し、それに注釈をつけていくという「文献学」の基本作業、これを組織的におこなったのがアレクサンドリアの文献学者たちであった。

これに対してマルキオンは、元来の聖書テキストを復元するという大義名分は同じだったとしても、アレクサンドリアの文献学に対応する方法、すなわち古い写本を蒐集し、比較し、分析するという方法をとっていたわけではない。事実として、マルキオン聖書のテキストは、今日の文献学者が提示する『ルカ福音書』やパウロ書簡の校訂テキストとかなり異なっている。もしマルキオンが客観的かつ正直に文献学的な手法を用いていたなら、むしろ「ユダヤ教的要素の二次的混入」という仮説の方を放棄せざるをえなくなっていただろう。マルキオンがとったのは、ユダヤ教的な要素をユダヤ教的であるからという理由によって除去し、テキストを改変するという方法であった。

つまり、「ユダヤ教的な要素が混入してしまっているのだから、それを除去すれば原テキストが再現される」というマルキオンの主張は、実践という段になって、一種の循環論法に陥ってしまったわけである。自分が「ユダヤ教的」だと思った部分をどんどん削除していけば、おのずと非ユダヤ教的なテキストが出来上がるだろう。しかし、客観的な証拠がなければ、それが本当に原初のテキストであったことを示すことはできない。文献学においては、いかなる天才的な発想があろうと、それを写本その他の物的証拠に結びつけてなんとか論証できない限り、あまり意味がないのである。つまるところ、マルキオンは文献学者というよりあくまで宗教家であった。この意味で、結果論としてではあるが、マルキオンの作業は限りなく改竄に近いものになってしまっている。ただし、先ほど強調しておいたように、現代のモラルを基準にした意味での「改竄」である。

マルキオンと当時の文献学の関係は、本来、もっと詳しく調べてみる価値のあるテーマである。原典を復元するという発想を、マルキオンはどこで得たのか。どこかの土地で、文献学者たちの仕事を少しでも目にする機会があったのかどうか。また、右では触れなかったが、アレクサンドリアの文献学者たちとて、今日でいう印象批評的な方法を避けていたわけではなかった。「ホメロスがこんな妙なことを書くわけがないから、この部分は真正かどうか疑わしい」というような理屈も時には平然と使っていたのである。とすれば、マルキオンの「イエスがこんなユダヤ人みたいなことを言うわけがないから……」という理屈と重なってくる。筆者の知る限り、このあたりをちゃんと調べた研究はまだ出ていない。

マルキオン聖書の復元——資料がはらむ問題点

マルキオンの聖書は、写本という形では残っていない。マルキオン派教会が消滅したのだから、それを書き写す人もいなくなったのである。もちろん、エジプトの砂の中などから、パピルスの断片などでも偶然に発掘されるという可能性がないわけではない。しかし、このことは、マルキオン聖書に限らず、どんな古代文書についてもいえる空想である。

現実に戻って、マルキオン聖書の場合、テキストの復元は、正統多数派教会の論客がマルキオンを反駁するための著作においてマルキオン聖書を引用している箇所を集め、それを総合するというやり方でおこなわれている。これについても、ハルナックが一九二〇年代に発表した研究が、長らく、いわば市場を独占していた。それが最近になって、ぼつぼつと、ハルナックに取って代わることを目指す予備研究が登場してくるようになっている。

これは、主としてハルナック以降に起きた研究の進展によるものだが、特に、この作業のもとになる反マルキオン文書について、それぞれ、新しい校訂本が出たり、またそれぞれの文書ないし著者についての個別研究が進んできたからである。

具体的にいえば、最大の資料は、先ほども名を出したテルトゥリアヌスの『マルキオン反駁』である。テルトゥリアヌスは、特にこの本の第四巻と第五巻をそれぞれマルキオンの『福音書』と『使徒書』の論駁にあて、マルキオンの聖書をかなり大量に引用しながら、いちいちそれに反論を加えていくというスタイルを採用した。したがって、引用の部分だけを抜き書きして並べれば、もちろんテルトゥリアヌスが引用してくれた部分についてだけではあるが、ともかくマルキオン聖書のテキストが復元できることになる。その他、伝承されてきたパッセージや単語をマルキオンが削除してしまっている場合に、テルトゥリアヌスがわざわざ「この部分をマルキオンは削除した」とコメントしてくれているケースも多い。

というわけで、テルトゥリアヌスのラテン語テキストが読めさえすれば、あとの作業は比較的に単純であるように見える。実際、ハルナックも、単純な作業だと思ってこれをおこなった。ところが、その後の研究を経て、本当はそんなに単純なものではないということがわかってきた。問題のひとつを挙げてみよう。テルトゥリアヌスはマルキオンの聖書をどの程度忠実に引用しているのだろうか？テルトゥリアヌス自身、この文書の中で、「マルキオンをマルキオンに基づいて反駁する」という意味のことを宣言している。マルキオンの聖書の権威をとりあえず認めた上で、そのマルキオン聖書自身によってマルキオンの思想を反駁する、つまり、相手の武器によって相手を打ちのめすという伝統的な作戦である。

だとすれば、ともかく「相手の武器」すなわちマルキオン聖書をまずきっちりと引用しておかなければ、戦術的に意味がないことになるだろう。つまり、この文書におけるマルキオン聖書の引用は、信頼できる――と、このように素直かつ楽観的に考えてしまいがちで、またハルナックもそう考えていた。

しかし、実は、この論理は必ずしも成り立たない。それが成り立つのは、いちいちマルキオンもしくはマルキオン派の論客が読者の側に控えていて、テルトゥリアヌスが間違って引用したら直ちに「異議あり」の声が飛ぶという仕組みが成立している場合だけである。明らかに、これは馬鹿馬鹿しい条件であって、現実ではありえない。つまり、テルトゥリアヌスがマルキオン聖書を忠実に引用しているのかどうか、それを確かめる術は存在しなかったのである。もちろん著者のテルトゥリアヌスも、そんなことは百も承知していた。

それでも、テルトゥリアヌスが自分でそう言っているんだから、信じればいいじゃないか、まさか嘘はつかないでしょう——と考える人がいるかもしれない。しかしそれでは学問にならないし、「テキストを文字どおり引用する」という事柄を現代のような意味で理解してしまうなら、先ほどの繰り返しだが、アナクロニズムに陥ってしまう。

つまり、テキストを引用する際には原文を一言一句変えてはならない、変更するならそれを明言するというモラルを、古代の人間は共有していなかった。実際、テルトゥリアヌスが『マルキオン反駁』以外の文書において（本物の）聖書テキストをどのように引用しているかを調査すると、聖書の同じ語句でも、前後の文脈に合わせて、自由に変形させていることがわかる。聖書テキストが神聖なものであることをテルトゥリアヌスはもちろん意識しており、マルキオンなどの「改竄者」に対してはとりわけそれを強調するわけだが、その神聖さとは、語順や語形を決して変更してはいけない、という意味におけるものではなかったのである。とすれば、ましてやマルキオン聖書など、テルトゥリアヌスはかなり自由に取り扱ったと考えるべきだろう。

『マルキオン反駁』が書かれた時点で、マルキオン派教会との争いがテルトゥリアヌスの周辺ではすでに決着していたのではないか、ということを先に指摘しておいた。実践的なニーズがなくなったからこそ、これほど大部の反駁書をまとめる余裕ができたのではないかという推測である。だとすれば、この書は、マルキオン派に対する闘争の勝利を飾るモニュメントのようなもので、この争いの際に出てきた理論的な諸問題を、正統多数派教会ないしテルトゥリアヌスの立場から総決算するという趣旨の作品であるということになるだろう。そうであれば、マルキオンの聖書を厳密に引用するかどうかなどは、著者テルトゥリアヌスにとって、ますます副次的な事柄だったことになる。

さらに、あくまで想像の域を出ないけれども、もしかしたら、テルトゥリアヌスは実際に自分の目でマルキオン聖書を読んだわけではなく、誰かがそれを読んでメモをとっておいたようなものから孫引きしているだけなのかもしれない。それならば、テルトゥリアヌスのこの著作の資料価値そのものが、かなり低下してしまうことになる。

ともあれ、問題の焦点が、こうしてマルキオンよりもテルトゥリアヌス自身の方に移ってくることになる。テルトゥリアヌスがどのような資料を用い、どのような仕方で、そしてどのような目的で『マルキオン反駁』を書いたのか、その問題を片づけないことには、この文書をマルキオン研究の資料として利用するという段階まで進めなくなってしまうのである。実は、この問題は、マルキオンやマルキオン聖書についてテルトゥリアヌスに次ぐ重要資料であるところの著者不詳『アダマンティオスの対話』およびエピファニオス『薬籠』についてもあてはまるし、さらには、古代教会史研究において異端者に関する資料として使われてきた文書のほぼすべてについてもあてはまる。

つまり、ハルナックのころまでは、古代の文書に書かれていることがあれば、それをそのまま歴史の資料として転用してしまう傾向があった。それが、その後になって、古代の文書それぞれについて、その成り立ちや著作目的をまず十分に調べた上で、それがどこまで歴史資料として使えるのか、慎重に見定めるべきだという考え方が浸透してきたのである。歴史（思想史、哲学史、教会史、キリスト教史などを含む）という全体的で抽象的なレベルに登るまえに、資料文献という具体的で個別的なレベルのことをよく調べておかなければならないという方法論的な反省である。

というわけで、現時点では、マルキオン聖書そのものより、その資料となる文書の研究が学界ではメインで、この先、どのような形でハルナックに置き換わる総合的な研究成果が出てくるのかはまったく不透明な状況である。

マルキオン聖書の具体的な読み、つまりマルキオンが伝承テキストを改変した箇所をひとつだけ紹介しておけば、『福音（書）』の冒頭は、『ルカ福音書』の生誕物語がそっくり削除され、「皇帝ティベリウスの一五年めにイエス・キリストがガリラヤのカファルナウムに下った」という文で始まっていた。つまり、三章一節と四章三一節をくっつけた文である。本書で、もうかなり前に紹介した事柄だが、「一一五年六ヵ月と半月」というデータから「一四四年七月半ば」というマルキオン派教会の創立記念日を引き出す際の根拠が、この部分である。イエス・キリストが人間から生まれたのでは、たとえそれが処女降誕であれ、人間の女つまりは創造神の作品からイエスが出てきたことになって、マルキオンの教説と矛盾する。したがって、マルキオンはイエスを（善なる異邦の神のもとから）直接に地上へと降りてきたことにしたのである。これも、前章で紹介した「キリスト仮現論」の一種である。

ハルナックが再構成したマルキオン聖書については、日本語でもかなり便利な概説が書かれている。興味のある読者にはそちらを参照していただくことにしたい（荒井献編『新約聖書正典の成立』所収の井谷嘉男氏による「マルキオン」の章）。ただし、これには時代的な制限から右に記したような最近の研究の進展が考慮されていないので、あくまで大まかな参考にとどめておく必要がある。

さて、ここでは、マルキオン聖書がキリスト教史において果たしたより重要な役割、つまり正典成立の話に戻っていくことにしよう。

権威ある文書の「集成」というコンセプト――「正典」概念の成立

マルキオンの聖書は、先ほど示したように、文書集というコンセプトの上に成り立っていた。一見すると、ミニ新約聖書のように見えるだけで、どうということのないものである。むしろ内容、つまりマルキオンが施したテキスト改変の方に興味があると感じる人も多いだろう。しかし歴史的な重大さは、逆であった。マルキオン聖書そのものはすぐに歴史から姿を消してしまい、今では写本ひとつ残っていない。これに対して、文書集というコンセプトは、二七の文書を集めた新約聖書正典という形で、いうなれば、キリスト教がある限り生き続けていくからである。

つまり、キリスト教の歴史で、文書集を決定してそれを信仰の基準にするという方法を初めて導入したのが、まさにこのマルキオンであり、マルキオン聖書だったのである。正統多数派教会は、その具体的な中身はもちろん受け付けなかったけれども、コンセプトそのものは、それを自分のものとしたのである。

もう少し詳しく見てみよう。マルキオンは、福音書は『ルカ福音書』だけを、しかもそれに改作を加えたものを聖書に採用した。マルキオンが他の福音書をどの程度知っていたのか、確かな証拠はまったく残されていない。しかし、状況から考えて、少なくとも、もっとも普及していた『マタイ福音書』は読んでいただろう。『マルコ』や『ヨハネ』についても、知らなかったという可能性も否定はできないが、おそらく知ってはいただろうと思われる。その他、「外典」に分類される福音書のことは、マルキオンが知っていたのかどうか、まったくわからない。仮にマルキオンが複数の福音書を知っていたとして、なぜ『ルカ福音書』を選んだのか、これも不明である。ルカがパウロの宣教活動に同行していたという伝承を持ち出し、マルキオンはパウロを尊敬していたのだから、その弟子のルカを選んだのだという説明をする人もある。しかしあまり説得力がない。なにしろ、「ルカ」という名前をマルキオンは受け入れなかったのである。

ともかく、マルキオンは『ルカ福音書』だけを選んで他を排除したわけだが、これに対抗する正統多数派の教父たちは、マルキオンが『ルカ福音書』を「改竄」したという点だけでなく、他の福音書を排除したという点を激しく攻撃した。その過程で、リヨンの司教エイレナイオスが、著書『異端反駁』において、後に規範的なものとなるコンセプトを打ち立てる。福音書は四つであって、四つでなければならないという主張である。

ここで、エイレナイオスは、「四」という数の必然性を証明すべく、天の方角が四つあるとか、十字架には四つの先端があるとか、われわれから見るといかにも強引なこじつけを延々と展開する。しかし、エイレナイオスはあくまでも真剣で、『マタイ』『マルコ』『ルカ』『ヨハネ』という四つの福音書が必ず揃っていなければならないということを、固く信じている。「真理はひとつであるはずなのに、なぜ四つも福音書があるのか」という問いには、「福音書記者は四人、しかし福音はひとつなのだ」というモットーで答える。

つまるところ、エイレナイオスが『異端反駁』を書いていた一八〇年ごろには、この四つの福音書が教会で一般に出回っており、いずれも権威を認められていたため、エイレナイオスはそれを追認する形で熱烈に擁護しているのである。先に述べたことだが、この四つの福音書は、それぞれ、他の（外典）福音書が続々と登場してくる中で、知名度の差は多少あっても、最初の時代から連綿と読み継がれてきたものである。エイレナイオスが「四つ」にこだわったのは、本当は、「四」そのものではなく——数字だけなら、「三」でも「五」でも、擁護する仕方はいくらでも発明できただろう——、たまたま四つの福音書が定着していることを是認したからであった。エイレナイオスの屁理屈は、いわば、この「古典」四書がベストセラー競争における勝利を収めたことの逆説的な証明である。

こうして、エイレナイオスという人物の影響力も通して、福音書は四冊であってそれ以上でも以下でもないという決まりが、それ以降は教義上の強制力を持ってくることになる。福音書以外についても同じで、パウロ書簡やその他の文書についても、どれを公式に「読まれるべき文書」として認定するかという問題意識が生まれてくる。結局、最終的な結果は、繰り返しになるが、現行のように二七文書からなる「正典」であった。この選定が、全体として、教会権力の強制による押しつけのようなものでは決してなく、それぞれの文書がいわば自分の力でその地位を勝ち取ったのだということも、すでに強調しておいた。ただ、規範的な文書集を、つまり「正典」を決定するというアイディアそのものが、皮肉にも、「異端」のマルキオン派教会を発端としていたのである。

純粋主義と多数派主義

少々振り返ってみよう。マルキオンの文書活動に刺激を受けた正統多数派教会は、一方ではマルキオンが排除した旧約聖書をキリスト教における聖文書として正式に追認し、なおかつ、キリスト教独自の正典「新約聖書」を確定するという方向に動き始めた。マルキオンは、自分の信じるキリスト教を擁護すべく、福音書はひとつだけに限定し、しかも、そこから好ましくない要素を除去して、あくまで純粋な福音ないし福音書を再現しようとした。書簡類についていえば、マルキオンはまずパウロ以外の権威を受け入れないという決断を下し、その上で、受け入れたものについても、福音書と同じようなテキスト改変をおこなった。

これに対して正統多数派教会は、福音書ならば一般に使われている四書をすべて認め、その他についても、パウロ書簡だけでなく、古くから読まれ続けてきた文書であればその権威を素直に認めるという姿勢で、正典の範囲を決めていった。

もちろん、これによって正典の範囲が無制限に広がったというわけではない。古代キリスト教における文書生産活動は、とりわけ二世紀以降になってから、非常に活発であった。「だれそれによる福音書」という表題の文書だけでも、ペトロをはじめとする十二弟子、パウロや主の兄弟ヤコブ、マグダラのマリア、さらには「エジプト人」のような漠然とした匿名のものなど、まったく際限がない。タイトルの重複も珍しくない。書簡や行伝、黙示録などについても同じである。内容の面もまた千差万別である。ヴァレンティノスやヴァレンティノス派、バシレイデース派の著作など、本書でこれまで紹介したものも、この中に含まれる。こうした文書は、一括して新約聖書「外典」と今日では呼ばれている。つまり、これらは結局「正典」に入れてもらえなかった。当時の人々にとって、これらは決して「古い」文書ではなかったし、それほど深く浸透していたわけでもなかったのである。

先に書いたことを繰り返すが、新約聖書正典の二七文書には、残存するキリスト教文書としては最も古いものがほぼ顔を揃えている。古いものが残存しているということは、それが絶えず読み継がれてきたことを意味する。そしてこれは、ほかならぬこれらの文書こそが、キリスト教の信仰や思想、文化を伝播させ、また継承させるにあたって大きな役割を果たしてきたということにほかならない。正統多数派がこれらを正典として認定したのは、いわば自らの歴史の追認である。特定の文書を正典として認めるかどうかが議論された場合、よく用いられたのは「正統的で、広く読まれ、かつ古い」という条件であった。しかし、古くから広く読まれているということは、実は、正統的だということと同義である。

このように書くと、「正統性」という概念が、神学的・思想的に「正しい」教えであるという意味を失い、歴史的に「伝統的」である、「正嫡」であるというような意味に吸収されてしまうように思われるかもしれない。オーソドクシー（orthodoxy）とレジティマシー（legitimacy）が、キリスト教史においては同じものなのだろうか。筆者の意見だが、そのとおり、両者は同じである。少なくとも、正典確定のプロセスが、まさにそのことを実証している。

新約聖書正典の二七文書だが、それぞれが書かれた地域や年代がバラバラであることにはすでに触れた。しかしバラバラなのは、内容や思想においても同じである。『マルコ福音書』やパウロは、『マタイ福音書』と『ルカ福音書』が力説する処女降誕の話をまったく知らないし、『ヨハネ福音書』は、他の三つの福音書（共観福音書）と、イエスが受難した日程の記載が異なる。「行いをともなう信仰」を説く『ヤコブの手紙』は、「信仰のみ」を説くパウロの手紙とかなり論調が違っている。パウロと第二パウロ、そしてヨハネ文書を読み比べると、信仰者の復活についての解釈が本質的に異なっている。こうした例は枚挙にいとまがない。

　このように、マルキオンならば、あるいは、具体的な思想傾向がどうであれ、ともかく教えの理論的な一貫性にこだわる立場からはとても我慢できないような矛盾が、新約聖書正典には満ち満ちている。これに新約聖書サイドと旧約聖書サイドの間の矛盾点を加えれば、ますます混乱に拍車がかかる。マルキオンは『対立論』を著してこの矛盾をつこうとしたが、同じ試みはその後も――各種の異端者や異端の流派から――幾度となく繰り返された。

　にもかかわらず、正統多数派教会は、正典の内容的な統一性には目をつぶり、ひいては教義の一貫性を犠牲にしてまでも、伝統にしたがって現行の二七文書をそっくり飲み込んだ。マルキオンは、福音の純粋性にこだわって伝承を選別し、なおかつテキストのレベルでも取捨選択をおこなった。それによってマルキオン聖書が成立し、マルキオン派教会が立ち上がった。しかし、この運動は長続きせず、西方ではおそらく五〇年程度しかもたなかった。他の二世紀のキリスト教流派、ヴァレンティノス派やバシレイデース派も、規範的な文書集を決めるということはしなかったけれども、やはりそれぞれの仕方で哲学的・理論的な一貫性や妥当性にこだわり、文書生産活動も積極的におこなった。しかし、その活動が世界の歴史に目に見える足跡を残すような規模まで発展することはなかった。結局、それぞれ、大局的に見れば、突発的で短期間の運動、つまり「異端」にとどまった。

　これに対して多数派正統教会はあくまで伝統を墨守した。もっとはっきりいえば、既成事実をそのまま追認していった。こうして、いわば、正統多数派教会は正統多数派でありつづけたのである。

正統と異端

「正統」と「異端」の関係だが、歴史研究においてよくいわれるのは、この区別は事後的に成立するもの、つまり闘争に勝った側が「正統」を名乗って相手方に「異端」の烙印を押すのだということである。つまり、争いがおこなわれている現場においては、どちらが勝つかまだ決まっていなかったのだから、正統も異端もなかったのだということになる。もちろん、これはこれで正しい。しかし、少なくとも初期キリスト教史における正統と異端に絞って考えるなら、右に述べたように、もうひとつ別のアスペクトが浮かび上がってくる。つまり、多数派主義と純粋主義、もしくは伝統遵守派と理論優先派という対立関係が、（もちろん事後的な意味における）「正統」対「異端」の関係とかなり重なってくるのである。

キリスト教の教えをギリシア哲学ないしプラトン哲学の枠組みで理論的に体系化しようとしたヴァレンティノス派やバシレイデース派、また文献伝承にメスを入れるまでして純粋な福音を再現しようとしたマルキオン派といった「異端」に対して、「正統」派は、一般のキリスト教徒がフォローすることのできない大胆な理論化を抑制し、また広く流通してしまっているキリスト教古文書の権威を全面的に事後認定した。こうして正統派は多数派でありつづける。あるいは、多数派が正統派でありつづける。もちろん、異端ないし少数派が提起したさまざまな問題は、ドグマの慎重な体系化なり、あるいは正典の確立という形で、多数派正統教会の歴史にも取り込まれていく。異端が先手を切り、正統が後からそれに応じるという時間的な前後関係があるわけだが、このような応酬が、初期キリスト教思想史の基本的な発展パターンであったといっても差し支えない。

「正統」は「真理」すなわち「教会が昔から現在まで一貫して守ってきている教え」であって「異端」は「虚偽」すなわち「悪魔がそそのかした間違った教え」である、というような信心深いけれどもナイーブな考え方は、現在の（まともな）キリスト教史研究ではすでに克服されている。これは、正統と異端があくまで相対的な概念であって、勝利者史観に基づいて事後的に成立するものなのだという右に書いた指摘が繰り返されてきたおかげであろう。しかしこの単純な相対化だけでは、初期キリスト教史のダイナミックな流れを捕らえることができない。

本書では単純な「正統教会」という術語をできるだけ避け、「多数派正統教会」のようなしつこい表現を繰り返してきた。「正統」という言葉が価値評価のニュアンスを含んでしまうため、たとえば「大教会」（ドイツ語でGroßkirche）という言葉が使われることもあるが、「大」という意味が曖昧で、あらかじめ意味を知っていない人には通じないだろう。筆者は、最近読んだ本で「多数派教会」（Mehrheitskirche）という言葉を目にし、これを使っても悪くはないと思っているが、とりあえず「正統」「異端」という区別も残しておきたいという気持ちがある。というのは、対立概念として「少数派教会」という言葉を使うことができず（必ずしもすべての異端者が独自の「教会」を組織していたわけではない）、どっちみち「異端」という言葉を使わざるをえないからである。というわけで「多数派正統教会」もしくは（単調になるのを避けるため）「正統多数派教会」という表現に落ち着いたのだが、この領域の研究が進めば、日本でも、適切な用語が別に定着するかもしれない。

真理と歴史

最後に、この「多数派正統教会」への弁護を一言だけ加えておきたい。このグループは、多数派を維持するために、正典の内部矛盾を甘んじて受け入れ、教えの純粋性ないし統一性を犠牲にしたということを書いた。これだけでは、あたかも筆者が異端に肩入れしているかのように思われかねないからである。

多数派の教父たちも、たとえば聖書の内部矛盾という問題には気づいていたし、さまざまな仕方で、それを合理的に説明しようと試みた。教義の理論化という方面でも、多数派の信仰を否定せず、むしろそれを発展・深化させるという形で、努力が積み重ねられてきた。多数派教会も、自己のはらむ問題に見て見ぬふりをしてきたわけではなく、現代に至るまで、それを克服しようと、世界中の神学者やその他の人々が頭を悩ませてきた。こうして、ほぼ二〇〇〇年にもわたるキリスト教の思想と文化が形成されてきたわけである。

あくまで思考実験だが、仮に、たとえばマルキオンの言っていたことが真実であったとしよう。イエスはユダヤ教や旧約聖書などとは関係のない「異邦の神」の子であり、またマルキオンの復元した聖書が、本当にイエスの福音を純粋に伝えるものであったとしよう。現在に至るまでの多数派正統教会は、カトリックであれプロテスタントであれ東方正教会であれ、ユダヤ教的な立場から改竄されたテキストや、そもそも何の権威もないテキストを聖典として拝んできたのであり、まったく間違った前提から教理を形成し、的はずれの説教をいつまでも繰り返してきたのだ、ということにしよう。キリスト教信仰に基づいておこなわれてきた文化活動は、文学や音楽や建築を含めて、すべてまったくの勘違いだったのだ、ということにしよう。
そこで「究極の選択」である。せいぜい（少なくとも西方では）五〇年程度だけマルキオン派教会においておこなわれていた真理の宣教と、多数派教会が誤解に基づいて二〇〇〇年間築きあげてきた思想的、文化的、そして社会的な遺産のすべて。どちらかが、まったくなかったことになるとする。さて、どちらを選択するか。どちらに、より大きな価値があると判断するか。筆者ならば、ためらいなく後者を選ぶだろう。

現実に戻るが、さいわい、このような二者択一はありえない。ひとつには、真実とか真理とかはあくまでも信じるもので、確証することができない。そしてもうひとつは、そもそもキリスト教二〇〇〇年の歩みの中に、マルキオンも、他の異端者の活動も、すっぽり含まれてしまっている。どちらか片方だけを「なかったことにする」ことはできない。

それでもこの思考実験に意味があるとすれば、それは、問題設定のやり方、もしくは問題意識の持ち方という点に帰着するのかもしれない。正統多数派の方が正しかったのか、あるいは異端の誰かが正しかったのか、こういった問いはまったく意味をなさない。本書にしても、別にグノーシス主義が真理であるかどうかを知ろうと思ってこれを手に取った人は少ないだろうし、筆者も、そう尋ねられたら答えようがない。

むしろ、初期キリスト教の時代に生じたこの特殊な思想運動がどういうものであったのか、それが歴史にどういう影響を残したのか、あるいは、せいぜい、グノーシス主義の発したメッセージの中に、自分の中で何か共鳴できるようなものがあったのだろうか、こういった興味や関心の方が一般的だろう。一言で言うなら、文化的な関心である。

キリスト教グノーシスに限らず、キリスト教全般や西洋古典文化、あるいは東洋や日本において古典的な伝統をもつ宗教や思想においては、あえて言えば、真理の問題よりも歴史や文化の問題の方がはるかに重要である。最近にポッと出てきたような哲学や思想や宗教であれば、当たっているのか当たっていないのか、正しいのか正しくないのか、真理なのか非真理なのか、各人が自分の責任で自由に判断すればよい。

しかし、「古典」的なもの、長い時代をくぐり抜けてすでに文化を形成しているもの、われわれ自身がその一部分であるようなものについては、慎重に出来事を調査し、綿密に文献を解読し、客観的に因果関係を割り出していかなければならない。それだけ大変な作業だということだが、学問というものは、そもそも、そういうものであろう。

これで、ウァレンティノス派、バシレイデース派、そしてマルキオン派という二世紀の三大グノーシス(的)流派を紹介してきたことになる。かなりの紙幅をすでに消費してしまっているので、あとは、この前後の時代のことを大筋で紹介し、まとめに向かうことにしよう。

第五章　グノーシスの歴史

問題設定の問題点

ここまで、本書では二世紀のローマ帝国、それもローマやアレクサンドリアという文化的な中心地に集中して、キリスト教グノーシスを紹介してきた。ウァレンティノス派、バシレイデース派、マルキオン派というキリスト教グノーシスを代表する実在の主要流派が、実際、この時代とこの地域を舞台として活動していたのである。

地理的な個別化の問題、特にグノーシス主義が大都市ではない地方都市、また辺境地帯においてどの程度広がっていたのかという問題は、マルキオン派教会の歴史を紹介したときに多少触れた程度で、正面からは受け止めてこなかった。この点は、本書の限界として素直に認めることにしたい。本書の最初の部分において、二世紀のローマ帝国においては宗教や思想への関心が一般に高まっていて……という状況説明を導入としたけれども、これは都市ローマその他の大都市における話であって、当然、ミクロ的に見るなら、それが当てはまらない地域はいくらでもあっただろう。

もっとも、広い視野で全体的な議論をおこなおうとする際に、比較的に軽微な部分を切り捨てる結果になってしまうのは、ある程度やむを得ないことである。重みと軽みのバランス感覚というか、遠近法の感覚というか、統計への感覚というか、それを失った歴史研究は、過去を歪曲してしまうことになる。歴史のごく片隅で起きた現象は、もちろん、それをとことん追求して正しく再構成する努力は欠かせないもので、貴重なものであるけれども、その現象自体はあくまで片隅の事柄であって、うかつにその結論を全体に転用してはならない。この場合、周縁の一事象をどのように合理的な仕方で全体の大きな状況や流れと結びつけるのか、そこが歴史家の腕の見せどころになるのだろう。

ともあれ、地域による差分化というアプローチを本書があまり顧慮しなかったことについては、これが致命的な欠点にはならないことを筆者は願っているけれども、とりあえずは読者の方々の反応を待ちたい。

これに対して、「グノーシスの歴史」という問題設定には、それ自体に本質的な問題が含まれている。というのは、「日本の歴史」とか「中華料理の歴史」というのとは違って、「グノーシス」というものには、それを多かれ少なかれ一貫して担ってきた人的母体というものが存在しないからである。「マルキオン派教会の歴史」なら、資料さえ十分にあれば書くことができるし、「ウァレンティノス派の歴史」でも、あるいは後述する「マニ教の歴史」でも、情報面の条件さえ整えば、書くことができるだろう。

しかし「グノーシス」は、これら実在した複数の宗教運動を束ねる人工的な上位概念であり、したがって、たとえ「グノーシスの歴史」を書けるとしても、そのときの「歴史」という言葉の意味が、「日本の歴史」や「中華料理の歴史」といった場合の「歴史」とは大きく違ってくる。「グノーシス」と呼びうるような思想運動がいつどこで生じた（ように見える）かをとりあえず列挙するという意味の「歴史」になってしまうのである。この意味でならば、「歴史」よりも、最近は日本でも専門家が使い始めている「系譜」という用語を使う方が適切だろう。これにともなう問題点については、最後に触れることにする。

グノーシスの定義

系譜を始める前に、参考として、グノーシスの定義という問題に簡単に触れておく。一九六六年、イタリア・シチリア島のメッシーナというギリシア時代からの古都で、「グノーシス主義の起源に関する国際学会」が開催され、グノーシス主義を次のように定義しようという提言が出された。要約すれば、次の三点を満たしている思想を「グノーシス主義」と呼ぶことにしようというものである。

①反宇宙的二元論
②人間の内部に「神的火花」「本来的自己」が存在するという確信
③人間に自己の本質を認識させる救済啓示者の存在

もっとわかりやすく言い換えてみよう。まずこの世界、この宇宙は劣悪な創造神が造ったもので、この創造神は善なる至高神と対立的な関係にある（①）。人間は創造神の造ったものであるが、その中に、至高神に由来する要素がわずかだけ閉じこめられている（②）。人間はそのことに気付かないでいるが、至高神から使いがやってきて、人間に自分の本質を認識せよと促す（③）。確かに、これまで紹介してきたグノーシス流派の考え方と一致している。キリスト教グノーシスの場合、③の「啓示者」がイエス・キリストであることは言うまでもない。ただ、マルキオン派の場合のみ、②の条件から外れてしまう。これについては、先に前章で説明したとおりである。

この会議では「グノーシス」と「グノーシス主義」を専門用語として区別しようという提言も出さ

れたが、これは定着しなかったので、「まえがき」でも断ったが、本書も「グノーシス主義」を区別なく用いている。ともかく、これが、世界中の専門家の間で知られている「グノーシス」定義の試みとしては、今のところ唯一のものである。

ところが、これも長い目で見ると、どうやら見捨てられそうな流れになっている。定義そのものが間違っているわけではない。問題は、そもそもグノーシスを定義できるのかどうか、ある条件を決めて、それに適合するならマル、さもなければバツという仕切り方が歴史研究にふさわしいのかどうか、という点にある。マルキオンをグノーシスの流れから切り離してしまうのはナンセンスである。また、これから簡単に紹介するグノーシス的教師や流派も、すべてが右の条件に合致するのかどうか、資料が少ないという障害もあって、判断が必ずしも容易ではない。

だからといって、そもそも「概念」を使わないで思想史を論じることはできない。この意味で、メッシーナの定義にも十分に存在価値がある。とはいえ、その運用は、当面、つとめて柔軟におこなう必要がある。いずれグノーシスの歴史ないし系譜学が十分に整理解明された暁には、新たな定義もしくはパラダイムが生み出されることになるだろう。現状では、右のように意図的に曖昧なスタンスをとるか、もしくは独自の定義システムをそれぞれの学者が試行的に作ってみるか、グノーシスの定義という問題は、目下そのような状況にある。

グノーシスの系譜――キリスト教以前の前史

前置きはこの程度にして、以下、関係してきそうな思想を並べてみよう。まず前史という段階の話だが、キリスト教グノーシスに影響を与えた可能性のある宗教思想として名前を挙げるべきは、古代ペルシアの宗教、そしてギリシア古来のオルフェウス教であろう。

ペルシア・イランにおける善悪二元論の宗教は、一般にゾロアスター教と呼ばれている。紀元前一〇〇〇年よりもさらに前に活動したというこのゾロアスター（ザラトゥシュトゥラ、ツァラツストラ）という人物は、詳しいことは専門の参考書に任せるが、古代ギリシアでも東方の伝説的な賢者として崇敬されていたし、時代が下ってキリスト教グノーシスの文書にまで間接的に名前を残している（ナグ・ハマディ文書の中の『ゾストゥリアノス』）。それどころか、後にマニが独自のグノーシス的宗教を始めたとき、立ちはだかったのがゾロアスター教の祭司たちであった。ペルシア・イランの土壌と結びついた、非常に息の長い、また周辺への影響力も強い民族宗教だったわけである。この宗教が、善と悪の宇宙的二元論を説いていた。直接には、マニ教がこの考え方を継承することになる。しかし、間接的にこの思想がマニ以前のギリシア・ローマ思想やユダヤ・キリスト教思想に影響を与えていた可能性も否定できない。

人間の肉体は霊魂を幽閉する一種の牢獄であるという思想は、実態はなかなかつかめないながらも、ギリシアにおいては古くからオルフェウスやピタゴラスの名の下に伝えられてきた、伝統的な宗教思想・哲学思想である。有名な「肉体（ソーマ）は魂の墓場（セーマ）である」という語呂合わせを紹介しているプラトンは、これをオルフェウスの教えに帰している（『クラテュロス』四〇〇C）。人間の死後には霊魂が解放され、上天にある裁判所で裁きを受け、しかるべき懲罰もしくは褒美を受けた後、それまでの記憶を消された上で再び新しい人間（もしくは動物）の肉体をまとってこの世に生まれ出る、という輪廻転生論《りんねてんしょう》の前提をなす考え方である。

キリスト教グノーシスにおいて輪廻転生の思想が取り入れられている例は稀だが、霊魂を肉体から分離し、前者にのみ永続的な価値を認めるという点で、グノーシスとの親近性は否定できない。ただしグノーシスとの違いは、星々を神聖視するという伝統的な姿勢である。グノーシスで広まっているような、宇宙を丸ごと否定し、宇宙を超越した地点に霊魂の故郷を位置づけるというところまで、オルフェウス＝ピタゴラス教は徹底していなかった。むしろ、地上の苦しみや日常的な混乱と労苦の中にあっても、ひとたび夜空の星々を仰ぎ、あるいは昼の太陽を見上げれば、美しく整然とした宇宙の秩序を再確認することができ、そこに自分の精神的な故郷を認めることができる――星辰《せいしん》のこのような宗教的機能こそ、伝統的なギリシア思想にとって、決して譲ることのできない一線であった。時代が下って古代末期になっても、新プラトン派哲学者のプロティノスが、グノーシスの星辰否定を激しく攻撃することになる（『エンネアデス』二・九その他）。

ユダヤ教――「黙示」と「知恵」

イランの宗教やギリシアのオルフェウス＝ピタゴラス教のほか、ユダヤ教の一部にも、後のキリスト教グノーシスに連なる要素が見いだされる。この点は、特に近年になって、グノーシスの歴史的起源という問題とも結びついて、注目を浴びるようになってきている。具体的には、ユダヤ教の中でヘレニズム時代に入ってから盛んになった「黙示」の思想と「知恵」の思想とが、キリスト教グノーシスの歴史的な母体なのではないか、という仮説である。

「黙示」思想とは、さしあたり、新約聖書の『ヨハネの黙示録』に見られるような、この世の終わりは近く、善と悪が決着をつける最後の戦いがいよいよ切迫している（はずだ）という極端に終末論的な考え方だと理解しておいてよいだろう。こうした二元論的な図式や現実世界に対する激しい敵対意識がグノーシスの世界観とかなり重なっていることは、容易に見て取れるだろう。詳しいことは思想史や文学史の専門参考書に譲るが、紀元一世紀末に書かれた『ヨハネの黙示録』は、この思想運動の中ではかなり末期のものに属する。旧約聖書に収められている『ダニエル書』をはじめ、紀元前の時代から、この種の思想運動がかなり広まっていた。その時代背景には、ユダヤ民族＝ユダヤ教がペルシアやローマという近隣の強大な国々から受けていた圧迫があった。それに対する反発と抵抗が、宗教運動のレベルにおいて、黙示思想というラディカルな形で表現されたのである。『ヨハネの黙示録』の場合にも、キリスト教徒がローマ帝国（ドミティアヌス帝時代）から受けていた迫害が、歴史的な背景をなしている。

「知恵（ソフィア）」は、ヘレニズム・ユダヤ教の神学思想において、神から派遣される一種のエージェントである。神自身の超越性を守るために、人間やこの世界と接触することに専念する神的な存在が必要だ――こういう考え方がヘレニズム時代に出てきたことは、すでに幾度か触れたとおりである。神に超越性を求めるという点でも（「創造神」と区別された「至高神」という発想）、「ソフィア」がウァレンティノス派をはじめとするキリスト教グノーシスの体系において重要な役割を演じるという点でも、このユダヤ教知恵思想とグノーシスの関連は容易に予想できる。

それればかりか、ユダヤ教の「知恵」は、「知恵文学」という形で、非常に懐疑主義的・悲観的な方向へと展開していった。

なんという空しさ、なんという空しさ、すべては空しい。
太陽の下、人は労苦するが、すべての労苦も何になろう。
……
かつてあったことは、これからもあり、
かつて起こったことは、これからも起こる。
太陽の下、新しいものは何ひとつない。
……

こんなことが聖書に書いてあるのかと目を疑うほどの言葉だが、出典である『コヘレトの言葉』(『伝道の書』とも呼ばれる)はれっきとした旧約聖書正典の一部であり、「知恵文学」に分類される作品としては最も有名なものである。右の引用は新共同訳をもとにしたが(一章二節以下)、ちょっと古い「文語訳聖書」の翻訳、「空の空なるかな……」という表現も一般によく知られている。

この作品を最後まで読んでみても、何か力強い「信仰のあかし」のような言葉が出てくるわけではない。とりあえず「神を畏《おそ》れ、その戒めを守れ」というのがすべてに耳を傾けて得た結論だとされているが(一二章一三節)、これも、決して「空しさ」を積極的に乗り越えていくメッセージであるとは評価できない。この作品の文献学的な分析や思想史的な位置づけには立ち入らないが、ここで表明されているこの世に対する悲観的な姿勢、一種の「ニヒリズム」に、後に成立するグノーシス主義と相通じるものがあることは明らかだろう。

非キリスト教グノーシス

さて、「キリスト教グノーシス」という言葉を使うことからもわかるように、キリスト教と関係のないグノーシス主義思想もある。その中で、ここではマンダ教とヘルメス文書に触れておく。

マンダ教は、少なくともごく最近までイラクの湿地帯に現存していた、非常に歴史の長い民族宗教である。イラクでは現地の状況がどうなっているのかよくわからないが、アメリカやオーストラリアなどに移住したマンダ教徒が現在でも活動を続けているらしい。この宗教が、起源をはるかに遡ると、どうやら洗礼者ヨハネの運動にまで関係している可能性がある。少なくとも、非常に古い宗教であること、そしてキリスト教から派生した宗教でないことは確実である。

このマンダ教は、かなり大量の経典類を所有している。それを調べると、思想的に、グノーシスに非常に近いものがある。たとえば、マンダ教教典の中でも最も大きくかつ重要でもある『ギンザー』という文書は、人間の魂が死後に肉体を離れて故郷に戻っていく様子を扱っている。その際、どのようにして「七人」や「十二人」に捕まらずに光の世界に到達することができるかの説明が展開される。もちろん、「七人」とは惑星天、「十二人」とは恒星天のことである。つまり、マンダ教徒にとって、魂の故郷である「光の王国」は天空を超越した場所にあり、目に見えるこの宇宙は、まるごと、悪しき「闇の支配者」の勢力圏にあたる。その中に幽閉され、自己の起源をも忘却してしまっている人間

（の魂）を覚醒させるため、光の王のもとから、救済の使信として「生命の認識」が遣わされる。このメッセージが、宗教としてのマンダ教にほかならない。「マンダ」とは、マンダ語（セム語系で、アラム語やシリア語に近いらしい）で、「認識」つまり「グノーシス」を意味している。

ただし、特に生殖行為、つまり子孫を残すという行為を積極的に勧めるなど、民族宗教としては当然ながら、この世界を蔑視するはずのグノーシスとしては型破りな要素もある。マンダ教についても最近では日本でも紹介が始まっており、またインターネットで詳しく紹介されたりもしているので、その独特の洗礼儀式や、何とも表現しがたく印象的な様式の図像類などについても含めて、詳しいことはそちらを参照していただきたい。

次に「ヘルメス文書」、正式にはラテン語で「コルプス・ヘルメティクム」と呼ばれる文書がある。これについては詳しい注釈を含む日本語訳がすでに出されているので、ここではごく短く触れるだけにする。この「ヘルメス文書」もしくは「ヘルメス選書」とは、ギリシア神話に登場するヘルメス神の教えであるという名目で書かれた、もしくはそれに準ずる、一八編の比較的短いギリシア語文書の集成である。

成立年代だが、一般に、紀元後一世紀から四世紀ごろまでと考えられている。ヘルメスの啓示というような体裁で哲学的・宗教的な文書を書くことが、この時代、おそらくエジプトのアレクサンドリアを中心に、伝統として続いていた。それが、次第に文書集としてまとめられていったのである。「ヘルメス文書」はあくまで文書集であって、文書ごとに、書かれた時代も著者も異なる。したがって思想内容も文書ごとにさまざまだが、全体としては、プラトン哲学の系譜を引く、古代末期ギリシア哲学の産物であるといってよい。ユダヤ教の影響は認められるものの、キリスト教からの影響はない。そしてこの中に、『ポイマンドレース』や『アスクレピオス』など、キリスト教グノーシスにかなり近い思想を示している文書が含まれている。

ともかく、マンダ教や「ヘルメス文書」の存在からはっきりとわかるように、グノーシスが決してキリスト教の内部から生み出された倒錯のようなものではなかったという点、この意味で、グノーシス主義はキリスト教から独立した宗教現象であったという点は、今日の学界でも意見の一致をみているし、本書でも強調しておく必要がある。ただし、独立していたといっても、グノーシスがキリスト教と同じようなレベルでの自立的な宗教運動であったわけではない。よく使われる譬《たと》えだが、グノーシスは「やどり木」あるいは（この言葉が持つネガティブなイメージを度外視できるなら）「寄生虫」のようなもので、キリスト教なり、ギリシア＝プラトン哲学なり、特殊な民族宗教なりを「親木」あるいは「母体」として、そこに寄生するものであった。純粋な「グノーシス教」なるものが単体で存在していたわけではないということである。

新約聖書――パウロの敵対者

次に、キリスト教と結びついたグノーシスの歴史をごく簡単に見ておこう。話は早くも一世紀、すなわち新約聖書正典に収められている各文書が成立しつつあった時代から始まる。資料は、ほかならぬ新約聖書の各文書、とりわけパウロ文書（パウロの名による文書を含む）とヨハネ文書である。

パウロは宗教の天才で、常人の域を超えた情熱家であった。そのために敵対者も多かったわけだが、その敵対者たちの思想の中に、後のグノーシスを思わせるものが出てくる。たとえば死者の復活を論じた名高い『第一コリント書』第一五章一二節には、「あなたがたの中のある者が、死者の復活などない、と言っているのはどういうわけか」という言葉が出てくる。なにしろ、これはパウロが当のコリント教会員に読ませようとして書いた本物の手紙である。ということは、コリントの教会の中にこのような主張をする人々が実在したことに疑いをはさむ余地はないだろう。時代は紀元一世紀の五〇年代である。

そこで、この「死者の復活はない」という発言の発言者側の真意だが、パウロは一方的に反論を並べているばかりなので、はっきりとはわからない。もしかしたら、「腐敗して土に帰った死体が元通りになるのは不可能だ」という自然科学的な主張にすぎなかったのかもしれない。しかしこの敵対者もコリント教会のメンバー、つまりクリスチャンであった。とすれば、この敵対者は単に自然法則の話をしていたのではなく、まさに信仰の話をしていたのだという可能性が高くなる。

というのは、これはパウロ直筆ではないけれども、パウロの権威を崇め、パウロの名を借りて書かれている「牧会書簡」（成立はおそらく紀元一〇〇年前後）のひとつ、『第二テモテ書』二章一八節から、この著者の敵対者が「復活はもう起こった」という発言をしていたことがわかる。そこで、「死者の復活はない」（パウロの敵対者）→「復活はもう起こった」（牧会書簡の敵対者）とつなげてみると、「復活」という事柄をパウロやその弟子筋とはまったく違った意味に解釈する伝統があったのではないかという可能性が出てくる。「復活」を精神的な意味に解釈するという伝統である。

以前にも紹介したが、まさにキリスト教グノーシス文献の華ともいうべき『フィリポ福音書』（ナグ・

ハマディ文書のひとつ）には、「人はまず死に、それから甦るのだ、という人は間違っている。人は、まず生きているうちに復活を受けなければ、死んだときに何も受けないだろう」という言葉がある（§九〇a）。ウァレンティノス派の影響下で二世紀後半に書かれたと考えられるこのグノーシス主義原典資料を参考にすれば、「死者の復活はない」も「復活はもう起こった」も、一貫した思想的立場から解釈することができる。つまり、自己の神的本質を認識すること（＝グノーシス）、そのことが「復活」つまり人間の魂の救済にほかならないという主張である。グノーシス主義者にとって重要なのは霊魂にかかわるこの点だけで、肉体が復活する必要はないし、むしろ肉体を含む物質界は消滅すべきものである。復活というキリスト教の概念が、グノーシスにおいては徹底的に「精神主義化」される。

と、ここまであたかも最初からレールが敷かれていたかのように書いたが、もちろん、時代や地域の違いという問題をはじめ、不確かな点がたくさんある。筆者自身、このストーリーを完全に信じているわけではない。しかし、このようにパウロの敵対者や牧会書簡の敵対者の思想が二世紀のグノーシスの先駆けと位置づけられるのではないかという問題があるということの、具体的な紹介としては十分だろう。「復活」に限らず、似たようなテーマはほかにも多数指摘されており、パウロ研究や新約聖書学研究においても、またグノーシスを含むキリスト教史研究においても、両者の交錯というテーマは現在も盛んに研究されつづけている。

新約聖書——ヨハネ文書

こうした問題はパウロ書簡や第二パウロ書簡に限られない。その中で、ここでは「ヨハネ文書」を取り上げる。ヨハネ文書とは、新約聖書の中の『ヨハネ福音書』と『ヨハネの手紙』（三通）の総称である（『ヨハネ黙示録』は含まれない）。この四つの文書は、用語や文体、そして思想がかなりお互いに類似しており、共通の母体から生み出されたものだと考えられる。これを慣習的に「ヨハネ学派」、そしてその産物であるこの四文書を特に「ヨハネ文書」と呼ぶのである。いずれも一世紀末ごろに書かれた作品であり、イエスの「十二使徒」に名を連ねている「ヨハネ」とは、もちろん歴史的に無関係である。

一言にヨハネ学派といっても、その内部ではかなり活発な動きがあったらしく、文書ごとに、特に「手紙」三通と「福音書」の間には見逃しがたい相違点もある。その説明は専門の解説書にまかせるが、ともかく、そうした細かい区別を大きく包み込むような形で、「光」と「闇」、「神」と「この世」、「上」と「下」といった二元論的な世界観・宇宙観が、ヨハネ文書の全体に浸透している。

「はじめに言葉があった」という有名な出だしの『ヨハネ福音書』の場合、ただちにこの「言葉」が「光」と言い換えられ、この光が「暗闇の中で輝いている」、この光を暗闇は「受け入れなかった」というように叙述が進む（一章一〜五節）。また、「わたしは世の光である。わたしにしたがう者は暗闇の中を歩かず、命の光を持つ」という、これまたよく知られたイエスの言葉も、出典は『ヨハネ福音書』である（八章一二節）。

『ヨハネの手紙』からも引用するなら、翻訳をパラパラとめくってみるだけでも、たとえば「わたしたちは知っている、わたしたちは神に属しているが、この世全体は悪しき者の支配下にある」というような言葉がすぐに目に飛び込んでくる（『ヨハネの手紙　一』五章一九節）。このように、世界全体を白黒に塗り分け、イエス・キリストとそれを（正しく）信じるキリスト教徒だけに――文字どおり――スポットライトを浴びせるような発想を示している箇所が、ヨハネ文書全体を通して無数に見つかるのである。

一部だが、これを根拠に、ヨハネ学派をグノーシス主義者と見なす研究者もある。しかし、後の盛期キリスト教グノーシスと比較するなら、創造神と至高神を区別するという発想もここには認められないし、自らの神的な本質を認識することが救済の条件であるというモチーフも見られない。もちろん、至高神からさまざまな神格が流出して……という系図論も存在しない。したがって、単純にヨハネ学派を「グノーシス」と呼ぶのには無理がある。

もっとも、これは結局、言葉の定義の問題である。先ほど紹介したメッシーナの定義に当てはめるなら、せいぜい①の「反宇宙的二元論」しか満たしていない（しかも、創造神を至高神から区別してはいない）ヨハネ学派は、グノーシスとして認定不可ということになる。しかし、グノーシスの系譜をたどる際にヨハネ学派を決して無視することができないという点もまた、パウロや第二パウロの敵対者の場合と同じく、動かせない事実である。グノーシスの定義については、先ほども強調したように柔軟な運用を心がけなければならない。一世紀末という比較的早い時代も考えるなら、ヨハネ学派をキリスト教グノーシスの前段階に位置づけておくのが、とりあえずは安全だろう。ただしヨハネ文書は、パウロの敵対者などとは違って、それ自体が新約聖書正典に入っている。「正統」と「異端」にこだわり、なおかつ「グノーシス」イコール「異端」だと決めてかかるならば、たとえ前段階だとはいっても、ヨハネ文書の立場は非常に微妙になる。しかしこれは前提が誤っている。正邪の価値評価を歴史研究に持ち込むべきではないからである。ともあれ、新約聖書すなわちキリスト教そのものの土台に、グノーシス主義（の萌芽）が含まれているのである。

初期のキリスト教グノーシス

さて、新約聖書各文書（の大多数）が書かれた時代を過ぎてからウァレンティノス派などの大きなグノーシス流派が登場するまでの時期、つまり大まかにいって二世紀前半においても、キリスト教グノーシスの異端的流派が存在した。そのすべてを列挙することはできないし、また意味もないことなので、比較的よく名前が出てくる流派や教師だけ、ひととおり紹介しておこう。

「魔術師シモン」、もしくは「シモン・マゴス」は、『使徒行伝』の八章に登場して使徒ペトロたちからこけにされる、サマリア出身の人物である。ペトロからじきじきに叱られて排斥されたというこの記事から、のちに、マイナスの意味における象徴的な人物、すなわち使徒ペトロの宿敵、あらゆる異端の創始者というシモン像へと発展した。そして、エイレナイオスをはじめとする正統多数派の異端反駁論者は、この魔術師シモンを出発点とする系列を作り上げ、すべての異端をその中にはめ込もうとした。正統多数派教会の側がイエスの一番弟子であったペトロに始まる「使徒的伝承」を受け継いでいるのに対して、異端の側はシモンの系譜を受け継いでいるという図式である。もちろんこれは、どちらのサイドについても、歴史的な事実とは無関係である。

しかし、このシモンが何らかの宗教的活動をおこなっていた可能性は否定できないし、おそらく二世紀に入ってから、史的シモンとの関係は不明ながらも、「シモン派」と呼ばれるグノーシス的な流派が活動していたらしい。彼らの教説だが、多少図式的にいえば、至高神＝シモンから「エンノイア」という女性的な存在が生み出され、このエンノイアが物質界に転落してしまう。このエンノイア＝人間の魂を救出するために、至高神＝シモン自身がこの世界に降りてくる――このような組み立ての理論であったらしい。ナグ・ハマディ写本の『魂の解明』と呼ばれる作品などは、このシモン派グノーシスと関係が深いとされている。

このほか、メナンドロス、サトルニーロス（サトルニーヌス）、ケーリントス、カルポクラテース、ケルドーンといった人物が、ウァレンティノス、バシレイデース、マルキオンという三大巨頭に先だって（もしくは、少なくとも彼らからは独立して）活動したグノーシス教師として、しばしば名を挙げられる。

カルポクラテース派――性的放縦の実践？

この中で、ここではカルポクラテースについてだけ、ちょっと論じておきたい。というのは、性的な熱狂的無法行為（オルギア）がグノーシス派に特徴的な行動であったかのように（最近になっても）一部で信じられているが、この性的放縦を積極的に実践していたとされるのが、とりわけ、このカルポクラテース派だからである。

エイレナイオスの『異端反駁』（一・二五・四）によれば、カルポクラテース派は（オルフェウス＝ピタゴラス教的な）輪廻転生の理論を取り入れており、この世においてすべてを体験しておかなければ、つまり万が一にも何か未体験のものが残っているなら、魂は再び転生を強いられる、つまり救済されることがない、と説いていた。「あなたは、最後の一円玉まで返済しきらなければ、決して牢獄から出ることはできない」という意味の福音書の言葉を、カルポクラテース派は右のような意味で解釈していたという（『ルカ福音書』一二章五九節、『マタイ福音書』五章二六節を参照）。

しかし、この独特の聖書解釈が本当にカルポクラテース派のものであったとしたところで、必ずしも、そこから結論として性的放縦主義が引き出されてくるわけではない。「すべてを体験しなければならない」のだから「性的な放縦も体験しなければならない」、つまり「性的な放縦が奨励される」のだという論理はいちおう成り立つし、エイレナイオスもそのつもりでこのカルポクラテース批判を書いている。しかし、どう見ても、これは性的放縦というキーワードに話をもっていきたいがための、そのためだけの論法であるという印象は免れない。性的放縦に限らず、深酒であれ大食であれ、いかなる種類の無法行為であれ、はたまた禁欲や断食や喜捨《きしゃ》といった善い行為であれ、「すべてを体験する」という事柄の中に含まれてしまうはずだからである。

おそらく、すでにエイレナイオス（またはエイレナイオスが使っていた情報提供者）の頭の中で、「カルポクラテース派といえば性的放縦」というイメージが固まっていた。エイレナイオスはそれを理論の面からも裏づけるべく、カルポクラテース派の輪廻転生説や聖書釈義などを持ち出し、見かけ上は納得できるような文章を書き上げたのだろう。エイレナイオス自身、その際の論理の破綻にはまったく気づいていなかったのであろう。

ともかく、本来ならばもっと広く詳しく資料を分析しなければならないところだが、結論としては、カルポクラテース派の性的放埒《ほうらつ》主義については「昔からそのように信じられている」という以上のことを言うことができない。それも、そのように信じていたのはエイレナイオスをはじめとする敵対者の側であって、敵対者を性や金銭の面で中傷するのは、今も昔も論争の常套手段であった。

カルポクラテース派には、始祖カルポクラテースの息子エピファネースが著したという『正義について』という書物があり、アレクサンドリアのクレメンスによる引用を通して、われわれもその一部を読むことができる。それによれば、この派は社会のルールや伝統的な因習といったものを徹底的に相対化しようとしていた。それらは、結局、神ではなく人間が決めたことにすぎないと主張したのである。グノーシスの場合、従来「神」と見なされていた存在も悪魔もしくはせいぜい下級神にすぎないことになるわけだから、社会批判・因習批判の射程もそれだけラディカルになる。こうした主張が、極端な性的自由主義という形で――敵対する正統多数派教会から――誤解されたという可能性は、十分に考えられるだろう。

なお、右のような価値相対主義は、ちょっと聞くととんでもないアナーキズムのようで恐ろしく響くけれども、実際には、ソクラテスの時代におけるソフィスト運動の系譜を引く、むしろ伝統的と呼ぶべきギリシア的な思考パターンである（「ノモス／法」と「フュシス／自然」の対立）。オルフェウス＝ピタゴラス教的な輪廻転生論を採用していたという前述の伝承を考え合わせて、カルポクラテース派の精神的なルーツは、かなりの部分、実は（ソクラテス以前の）古代ギリシア哲学だったのではないかと想像してみたくもなる。しかしこれは将来のテーマとして残しておこう。

最初に触れた問題に戻るが、グノーシス派は性的放縦を実践していたのだろうか？　その代表格であったとされるカルポクラテース派については、よく調べると論拠が希薄であるということを右で指摘した。一般論としても、この世界を敵視・否定するというグノーシス主義の理論体系からは、「この世との接触を可能な限り断つ」という理由で各種の禁欲主義を導出することができるが、同様に、「この世の制約に縛られない」という理由で各種の自由放埒主義も導き出せる。しかし実際には、確認可能な限り、性的放埒ではなく禁欲に向かうケースの方が圧倒的に多かった。

とはいえ、実際にカルポクラテース派において、あるいは他のグノーシス主義流派において、性的放縦がまったくなかったと断言する根拠もない。人間が数多くいれば、中には極端な行為に走る人々も当然出てきただろう。常識的に当然のことである。したがって正統多数派教会においても、性的放縦であれ、その他の異常な行動であれ、ごく一部ではおこなわれていたに違いない。実際、新約聖書の中でもパウロが教会員の非行をとがめている箇所が多くあるし、アウグスティヌスをはじめとする教父の説教をみても、そうした実例には事欠かない。

最近でも、ローマ・カトリック教会の聖職者（アメリカ）による性的非行の問題が一般にも報道されていた。もちろん、これはあくまで一部の聖職者が引き起こした事件であって、カトリック教会の教義が根本的にどうこうという問題ではない。

同じように、異端とされる流派にも、当然、構成員の非行はあっただろう。しかし、本当の問題は、教義によって性的放縦その他の行為が命令され、構成員が皆でそれに従うという構造ができていたのかどうかという点にある。とすれば、それを確認できる流派は見あたらない。カルポクラテース派を含め、そのような証言があっても、それは証言者である反異端教父たちの偏向ないし闘争心ないし（悪しき意味での）信仰心を浮き彫りにするばかりで、客観性に欠ける。筆者には、性的放縦をドグマとして実践していたグノーシス流派が実在したとは思えない。

マニ教とその後

この後、時代的にはウァレンティノス派、バシレイデース派、マルキオン派が歴史の舞台に登場してキリスト教グノーシスが最盛期を迎えることになる。これについては前章までで詳しく紹介したので、ここでは一気に「それ以降」、つまり三世紀以降の時代に飛ぶ。

そこで登場するのがマニ教である。グノーシスの系譜に連なる流派が、三世紀以降の時代において他になかったというわけでは決してない。しかしマニ教の存在が大きすぎるので、巨視的《マクロ》に見れば、とりあえずマニ教以外の流派は姿が見えにくくなる。またミクロ的に見ても、二世紀後半の盛期グノーシスが残した思想的な遺産、特にマルキオン派のそれが、主としてマニ教によって引き継がれていくことになる。

マニ教については最近も日本語でいくつか概説書が出版されているし（巻末の文献案内を参照）、既刊のグノーシス総説書にも、マニ教には必ずといっていいほど独立した一章が割り当てられている。また学界ではさまざまな形で現在も研究が進行中であり、それを本書でいちいち紹介していくわけにもいかない。ここでは、キリスト教グノーシスとの関係に絞って、簡単な紹介をするだけにとどめる。

「マニ」というのは人名である。マニは二一六年にティグリス河畔のクテシフォン近くで生まれ、幼少時はキリスト教異端系のエルケサイ派という集団で過ごしたが、啓示体験をきっかけにして独自の宣教活動を開始し、ペルシア地域を中心に広く各地を回った末、最後は二七六年ごろにペルシア王に処刑されて「殉教」した。

このため、まず、マニ教をキリスト教と異なる別の宗教と見なすべきか、キリスト教から派生した分派と見なすべきかという問題が生じてくる。マニの個人的なルーツが右のようにキリスト教の一部であったことを考えれば、キリスト教の分派として位置づけられる。他方、教祖のマニ自身を含めて、マニ教徒たちは他の宗教（イラン系の宗教や仏教）を積極的に摂取・融合させた。その結果として、マニ教は、多くの地域と時代で、キリスト教と無関係な、あるいはキリスト教と競合する独立した宗教として伝道された。これを考えれば、マニ教をキリスト教の分派と見なすのは、明らかに過小評価である。

事情は、つまり、ユダヤ教とキリスト教の関係に近い。総合的に見るなら、やはりマニ教はキリスト教と並ぶ宗教、つまり（仏教および後に成立するイスラム教と合わせて）「第四の世界宗教」にまで育ったと見なすのが、宗教史的に公平なところだろう。

しかし、グノーシスの系譜という視点に戻るなら、やはり、キリスト教グノーシスとの関連は否定できない。後にキリスト教の大権威者となるアウグスティヌス（三五四～四三〇）は、若いころの九年間をマニ教徒として過ごした。この時点でアウグスティヌスが正統多数派のキリスト教を受け付けなかった理由のひとつは、旧約聖書に散見される、神の神らしからぬ行動や、馬鹿馬鹿しいまでの細かい祭儀規定にあった。このため、旧約聖書を否定していたマニ教がアウグスティヌスの知性を満足させたのである。後にアウグスティヌスはミラノにおけるアンブロシウスの説教を介して聖書のアレゴリー的解釈法に触れ、この問題を切り抜けるわけだが、その後のことはともかく、旧約聖書の権威を否定するという発想は、二世紀のキリスト教グノーシス、特にマルキオン派のものである。つまり、アウグスティヌスの接触したアフリカやイタリアのマニ教徒が、それを継承していたのである。

もっとも、マニ教のトレードマークともいうべき「善と悪の絶対的な対立」という二元論は、キリスト教ではなく、ペルシア・イランの伝統的な宗教ないしゾロアスター教からの影響を考えるべきだろう。なにしろ、マニ自身の生まれがこの地域なのである。しかし、この壮大なマニ教神話について、さらにマニ教徒の宣教活動や教団形態について、マニ教の文書活動について、マニ教の消滅について、その他各種のテーマは、すでに断ったとおり、他の詳しい参考文献にあたっていただきたい。

マニ教の後、一般のグノーシス解説書では、東欧・ロシアの「ボゴミール派」（一〇～一二世紀）、そしてその影響下に発生したとされる南欧の「カタリ派」（一二～一三世紀）の名前が挙げられる。これらについても、日本語で解説書や専門書が出されているので、それぞれの個別的な詳しい前史を含めて、興味のある読者は、ぜひそちらを参考にしていただきたい。ここでは一言、「異端審問」という中世カトリック教会の悪名高い制度は、このカタリ派（別名アルビジョワ派）を鎮圧するために考案された制度だったということだけを紹介しておく。

古今東西の宗教運動や思想運動に通じた専門家ならば、これよりももっと多くのサンプルを列挙して、グノーシスの系譜を縦横無尽に展開することができるだろう。筆者にはそうした素養も興味もないので、代わりに、負け惜しみではないが、章を改めて、この「系譜をたどる」式の方法がはらむ問題など、将来の展望にかかわる点を三つほど指摘して本書の結びとしたい。

第六章　結びと展望

グノーシスの「系譜」というアプローチ方法について

前章の最初でも、そしてすでに本書の「まえがき」にも書いておいたように、グノーシスの歴史をちゃんとした形で、つまり各時代と各地域の現象を正しく再現し、それらを有機的に結びつけるという形で書くことは困難である。信頼できる資料が決定的に不足しているというのが、その理由である。あるいは、残存する資料を徹底的に研究すれば、ある程度のものは書けるのかもしれない。しかし、いずれにしてもそれは将来の課題であり、現在の研究状況はそこまで進んでいない。

そこで「系譜」という概念を利用し、内容がグノーシスと相通ずるような思想運動を列挙するというやり方が、次善の策として浮上してくる。前章でも、そのやり方でグノーシスの歴史を簡単にまとめてみた。しかし、この方法にはひとつ大きな欠陥がある。

それは一言でいえば、際限がなくなるということである。つまり、何であれグノーシス的と思われる現象が見つかったら、直ちにグノーシスの「系譜」に仲間入りさせてしまうということになりかねないのである。「グノーシス」「グノーシス主義」という用語の定義そのものが曖昧だという実情が、これに追い打ちをかける。極端な例、現代日本の女子高校生気質なるものをグノーシスと結びつける所説まで登場するに至っている。

グノーシスは、あくまで初期キリスト教史という研究分野から生み出された概念である。もちろん、たとえキリスト教の領域外であっても、初期キリスト教史とちゃんと連動している領域にこの概念を適用するのは、まったく構わないし、むしろ当然のことである。キリスト教が外部と接触なしで発展してきたわけではないからである。したがって、キリスト教に先行するユダヤ教、ギリシア・ローマ世界、あるいは古代オリエントの宗教や思想にグノーシス的なものを探し求めるのは、当然のアプローチである。初期キリスト教と同時代のヘルメス文書やマンダ教を視野に入れるのも当然であり、またマニ教も、あるいはボゴミール派やカタリ派といったキリスト教圏の宗教運動も、グノーシスの影響史や受容史として重要な論点になる。

しかし、仏教であるとか、果ては現代日本であるとか、初期キリスト教の世界と特につながりのない領域でグノーシスを論じるのは、よほど慎重におこなうのでない限り、危険が大きいだろう。もちろん、それはそれぞれの研究者なり評論家なりが自分の責任でやるべきもので、筆者がどうこう口をはさむことではない。ただ、筆者としては、妙な形に肥大させられたグノーシス観がめぐりめぐって古代キリスト教グノーシスの研究現場に逆輸入されてしまうと、いわば本家であるキリスト教グノーシスを理解するための妨げになってしまうのではないか、この点を危惧している。

もっとも、このような傾向を生み出した責任は、かなりの部分、グノーシス研究史の重要人物、ハンス・ヨナス（一九〇三〜一九九三）にある。哲学者ヨナスは、『グノーシスと古代末期の精神』という名著で（第一巻、初版一九三三年）、グノーシスの「本質」を人間の「精神的な姿勢」に還元してみせた。これによって、古代末期の地中海世界におけるグノーシス主義運動の位置づけを明確にし、同時代における正統多数派教会やキリスト教外の思想（オリゲネス、プロティノスら）との関連を研究課題として定着させた。

ところが同時に、グノーシスを人間の精神的な姿勢に還元するというまさにその哲学的なアプローチによって、ヨナスは「いつでもどこでもグノーシス」のような考え方にも道を開いてしまった。「精神」(Geist) なら、どこでも誰でも、人間さえいれば存在する。結局これが、ヨナス自身の考えはともかくとして、その後の世代、とりわけ哲学者や神学者あるいは宗教評論家など、ダイレクトに現代社会と向き合うような姿勢を自任する人々に、大きな影響を残した、もしくは誘惑を与えたのである。

それがいいことなのか悪いことなのか、判断を下すのは、将来の歴史だろうか。ともかく筆者は、すでに書いたように、キリスト教グノーシスはあくまで初期キリスト教史(前史と周辺世界の歴史を含む)という枠内、つまり直接・間接の因果関係が考えられる領域に限った範囲で研究し、そうした努力を通して「グノーシス」のちゃんとした定義や歴史叙述を目指すという伝統的な方法にこだわりたい。

ことさらに現代を無視しようというわけではない。しかし、強引に現代社会と引っかけた中途半端な評論や説教を読まされるよりは、遠い昔の遠い世界の話であっても、あるいはそれだからこそ、正しく再構成された歴史の方が、あるいは歴史を正しく再構成しようというチャレンジそのものに接する方が、面白いだけでなく、意味のあることである。

グノーシスと社会的抗議運動、もしくは起源と本質の関係

「現代」や「社会」というキーワードとも関連するが、別の話題がある。これも前章だが、グノーシスの前史として、黙示や知恵というヘレニズム・ユダヤ教の伝統に触れた。これを一歩進めて、グノーシスという現象の「起源」をユダヤ教の周縁領域に想定し、グノーシスの反世界的・反宇宙的なスタンスを一種の社会的抗議と見なす説が、最近、有力になってきている。

ヘレニズム時代以降においてギリシアおよびローマが非常に広範囲の勢力圏を獲得していく「グローバル化」の過程は、周縁地域の民衆が政治的にも経済的にも抑圧されるという結果を生み出した。ユダヤやオリエント系の宗教伝統に詳しい知識層もその波の犠牲になり、この人たちが、社会的・政治経済的な抗議の表現として、自分たちの知識とエネルギーを新しい分派的な宗教運動に注ぎ込んでグノーシス主義が成立し、同じく抑圧されている一般の人々を引きつけた――このような考え方である（手近なところでは、K・ルドルフ『グノーシス』邦訳三一四頁以下を参照）。

この説明が当たっているのかいないのか、それ自体をここでは問題にしない。とりあえず、少なくとも大筋においては当たっていることにして話を進めたい。問題にしたいのは、起源がこうした社会的抗議運動であったという想定が、グノーシスの歴史全体において、とりわけ紀元後二世紀の盛期キリスト教グノーシスにとって、どれほどの意味をもつのだろうかという点である。

その答えだが、二世紀のキリスト教グノーシスにおいて、社会的プロテストのような要素を筆者は確認することができない。ウァレンティノス派であれ、バシレイデース派であれ、マルキオン派であれ、社会運動を思わせるような要素はまったく認められない。それどころか、ウァレンティノスやその弟子たち、バシレイデース、マルキオンはいずれもローマやアレクサンドリアという大都市で大手を振って生活しており、もちろんキリスト教内部のゴタゴタに巻き込まれて教会から追放されたりはしても、いわゆる一般社会や政治との接点や摩擦は見られない。これ以前やこれ以外の二世紀グノーシス教師についてもまったく同じことがいえる。そもそも、キリスト教グノーシスの二世紀における隆盛は、社会不安どころか、社会の安定によって支えられていたのである。

少々大胆にいうなら、二世紀のキリスト教グノーシスは、キリスト教徒の中で特に知的・哲学的な志向の強い人々によって推進された、純粋に知的な現象だった。特に思想史や宗教史においては、「始まり」と「その後」をうかつに同一視してはならないのだろう。起源は一度限りのものだろうけれども、本質は、時代や地域によって、いくらでも変化しうる。

もちろん、グノーシス主義の系譜において、社会的プロテストとの結びつきが再び登場してくることはあるだろう。グノーシスの反世界的・反宇宙的な理論構成は、当然、社会批判として機能するポテンシャルを秘めている。しかし、そのポテンシャルが実際に発揮されたのかどうかは、それぞれの時代から、それぞれのケースから、実証的に判断されなければならない。時としてグノーシスが社会批判や体制批判と短絡的もしくは自動的に結びつけられてしまう場合があるが、よく注意する必要がある。

現実世界とのかかわり、もしくは建て前と本音

ここで取り上げる最後の一点も、グノーシスの反宇宙的・反世界的な理論構成という、メッシーナの定義に入っていた点と関連している。ただし、抽象的な思想体系というレベルより、それを担う人間の方が問題になる。

一般向けにグノーシスを紹介したり論じたりする文章の中でよく見かけるのが、グノーシスは反世界的な思考を本質的な要素としていたため、社会、人生、環境その他、現実世界と積極的に取り組もうとする姿勢に欠けていたという論調である。

これも、筆者の見るところ、グノーシスが社会的なプロテストであったという「起源」の時代ならばともかく、盛期グノーシスにはまったく当てはまらない。もちろん、二世紀のグノーシス派が積極的に社会革新運動に取り組んだなどというわけではない。しかし、グノーシス派が正統多数派のキリスト教徒や非キリスト教徒と比較して特に世界逃避的な行動を示していたという形跡は、まったく確認できない。

反異端論者は、この世界や創造神を悪魔視するグノーシス主義者は、さっさと自殺してこの世界から去ってしまえ、とっとと「故郷」に戻れ、と挑発していた。確かに理にかなった指摘である。しかし、不思議なことに、グノーシス派が集団自殺を遂げたというような話はまったく伝わっていない。なぜだろうか。

その理由は、理屈と行動は違うということだろう。誰にでも、多かれ少なかれ「建て前」と「本音」の使い分けがある。むしろ、理屈で割り切れないところが、生身の人間であろう。グノーシスのキリスト教徒が、この世界に対して否定的なスローガンを掲げていた、もしくは受容していたということに間違いはない。しかし、それでいながら、彼らもしっかりこの世界の中で生活していた。

逆に、正統多数派の中に、被造世界の否定や死への憧憬がなかったというわけでもない。キリスト教迫害における「殉教」の問題だが、殉教を奨励したり、殉教者を崇拝したりする場合、単純に「信念を曲げずに信仰をあかしする」ことへの賛美とならんで、この世界に対する幻滅、死すなわち天国への憧れというモチーフがかなり強く働いていた。殉教者は最後の審判を待たずに天国へ直行できるという信仰も一般化していた。現代でも、キリスト教はともかく、他の宗教において、このような熱狂的な信仰態度がしばしば実践に移されている。

もちろん、グノーシス派のキリスト教徒も多数殉教した。グノーシス主義者が一般に殉教を忌避したという俗説はまったくの誤りである。つまり、迫害のような状況がいったん発生すれば、「この世界」を拒絶して「あの世界」へ憧れるという動きが出てくるけれども、それはグノーシス対正統という理論体系の区別とは関係なく、いわば水平に広がったのである。

死や殉教というのは少々極端なケースだが、そうでなくとも、二世紀のグノーシス派キリスト教徒と多数派正統教会キリスト教徒とが外面的に異なる行動様式を示していたとは考えられない。そうでなければ、正統多数派の反異端論者も、理論や祭儀の細かな反駁ではなく、まずそこから話を始めただろう。

確かに、キリスト教グノーシスは、世界や宇宙を悪魔視、もしくは否定的に評価するという原則を掲げていた。しかし、そこから実践の面でどのような結論が引き出されたのか、それをわれわれが決めてはならない。思想史の研究ではよくある誘惑だが、歴史上のあるグループがある主張を掲げていた（ということが確認された）場合、その主張からわれわれの頭の中で論理的に引き出された結論を、そのまま歴史上の現場に投げ戻したくなってしまう。今の場合なら、「グノーシス主義者はこの世界を否定していた」、ということは、「世界を否定的に評価する以上、世界のことに積極的な関わりをもつことはありえなかったはずだ」、したがって「彼らはこの世界のことを真面目に考えておらず、反世界的、反社会的な行動に出た」というような推論をおこない、その結論を実際の歴史的な事実だと思ってしまいたくなる。

しかし、問わなければならないのは、あくまで当事者たちがそういった結論を引き出したのかどうかである。さもないと、せっかく途中まで文献その他の細かい研究を通して実証的に調べを進めてきたとしても、いきなりわれわれすなわち第三者の論理が入り込んで、すべてが台無しになってしまう。たとえ前提条件が完全に揃っていようとも、そこからの（論理的には必然的に導き出されるはずの）帰結を実際に引き出すかどうか――コンピュータープログラムならいざ知らず、人間の場合、それは当事者の自由に任されているのである。

つまり、当事者になったつもりで研究者が実践的な結論を引き出すようなことは、学問的な歴史研究においては避けなければならない。グノーシスが世界拒否のスローガンを掲げていたとしても、それが実行されていたかどうかは、論理ではなく、あくまで証拠によって判断されなければならない。そして、繰り返しになるが、二世紀の盛期キリスト教グノーシスにおいて、「世界逃避」が生活様式として一般的に実践されていたとは考えられないのである。現代でも、とりわけキリスト教信仰をもつ歴史研究者が、この点で党派的な断定を下してしまうことがあるのは残念なことである。

知ることの面白さと限界を「知る」

体制批判のごとく血なまぐさい熱狂もなく、殉教指令のごとく凍りつくような冷徹さもなく、単にギリシア哲学や二元論的な世界観を積極的に取り入れてキリスト教の福音を知的に極めようとした無害で生ぬるい運動。表現がネガティブにすぎるかもしれないが、つまるところ、紀元二世紀のキリスト教グノーシスとはこのようなものであったと言っても間違いではない。ちょうど、そうした志向がこの「人類史上最も幸福な」時代の流行とも一致していたのである。したがって、「グノーシス」と結びつけられている、本書冒頭に記したような扇情的なキャッチフレーズに、あるいは「社会逃避」「現世否定」といったキーワードに最初から過度の期待なり嫌悪感なりを抱いていると、肩すかしを食らわされることになるだろう。

しかし、キリスト教グノーシスがギリシア哲学を積極的に採り入れ、それが正統多数派教会の教義形成を牽引する結果となったこと、またマルキオンの正典が現在の「新約聖書正典」成立への呼び水となったということ、こうした事情は、地味なように見えて、実はキリスト教史において、ひいては西洋文化史において、重大な意義を有している。キリスト教グノーシスは、西洋文化研究の——特に巨大なとは言わないまでも——素通りは決してできない、いわば必修科目である。

また、そうした大義名分は別にしても、われわれにとって、この「異端者」たちが展開したのはやはり知的に面白い思想であり宗教運動であった。もちろん、それが知的なものであるだけ、正しく理解しようとするにはそれなりの予備知識が必要になる。そして、多種多様な知識を組み合わせてそれを読み解くという作業も、これがまた非常に面白い挑戦となる。

アリストテレスは、「人間は本性的に『知る』ことを求める」という意味のことを『形而上学』の冒頭に記し(九八〇A参照)、また初期アウグスティヌスは、哲学の唯一の目的を、「神と自分の魂を『知る』こと」と定義した(『独白録』一・七参照)。キリスト教グノーシスも、西洋思想史におけるこうした根本志向を体現したものである。

ただし、キリスト教グノーシスないし紀元二世紀の思想界においては、「知る」ことの限界というモチーフもまた、広く知れわたっていた。ヘレニズム神秘宗教に由来するこの考え方は、アプレイウスの描くプシューケーにも、またプトレマイオス神話のソフィアにも、バシレイデースの「大いなる無知」にも、そしておそらく、信仰の上位を説いたマルキオンにも反映している。「知の限界」という問題意識は、その後の正統多数派キリスト教会で、グノーシス派の思想が異端者の馬鹿馬鹿しい空想としてまるごと排斥されてしまうため、表だって、生産的な形で継承されることはなかった。言い換えれば、「信仰」と「知」が機械的に二者択一的なものとされてしまい、時代は暗黒の中世に入っていく。

しかし現代のわれわれは、たとえキリスト教徒であったとしても、そうした束縛から自由である。そうでないなら、自由にならなければならない。「知る」ことの面白さ、そして「知る」ことの限界を――それも「知」を通して――究めることの面白さと必要性。もしかしたら、後者の問題こそ、古代キリスト教グノーシスが約二〇〇〇年後のわれわれに突きつけている最大の宿題なのかもしれない。

ともあれ、こうしたさまざまな意味における面白さを少しでもデモンストレーションすることができていれば、あるいは読者の方々の「好奇心」を少しでも刺激できていればと願いつつ、本書の結びとしたい。

付録　ナグ・ハマディ写本とは

本書で何度も言及した「ナグ・ハマディ写本」「ナグ・ハマディ文書」について、ここで簡単に解説しておく。写本の発見や公刊の経緯についてなど、詳しいことは、例えばK・ルドルフ『グノーシス』に比較的細かい、W・レベル『新約外典・使徒教父文書概説』に比較的簡潔な紹介があるので、そちらを参照していただきたい（いずれも巻末の文献案内を参照）。また個別の文書については、本文の説明を繰り返すことはしない。ここでは、あくまでナグ・ハマディ写本についての概要ないし一般論を紹介するにとどめる。

キリスト教グノーシスを含む、いわゆる「異端」についての近代における歴史的研究は、一部の例外を除いて、「正統」サイドからの情報ばかりに頼らざるをえなかった。なぜなら、異端サイドの「生の声」のようなものは、ほとんど失われてしまっていたからである。研究者が利用できるのは、正統多数派教会の著作家による反異端文書ばかりであった。もちろん、研究者も、これらの反異端文書は「大本営発表」にすぎないことを承知しており、表向きの文面に隠された歴史的な真実を読みとろうと努力を続けていたのである。しかし、そうした努力にもやはり限界があった。そういう状況で、キリスト教グノーシスの側で書かれ、そして読まれていたオリジナルの文書が、大量に発見されたのである。それが「ナグ・ハマディ写本」である。

そもそも「ナグ・ハマディ」とは、エジプトのナイル川中流地域に位置する町の名前である。この町の近郊で、一九四五年、全くの偶然から、陶器の壺に入ったパピルスの古文書が砂の中から掘り出された。詳しい調査の結果、この文書は、もともと一三の冊子からなり、あわせて五二程度のテキストが載せられているということが判明した。そこで、この手写本のことを「ナグ・ハマディ写本」、これに載せられているテキストのことを「ナグ・ハマディ文書」と呼ぶのである。

ナグ・ハマディ写本は、冊子ごとに、便宜上、第一から第一三までの番号が割り当てられている。またそれぞれの冊子には（第十写本を除いて）複数の文書が載せられており、その順番に従って、「第一文書」「第二文書」……という番号がつけられる。したがって、「第x写本の第y文書」という指定をすれば、個別のナグ・ハマディ文書を特定できる仕組みである。

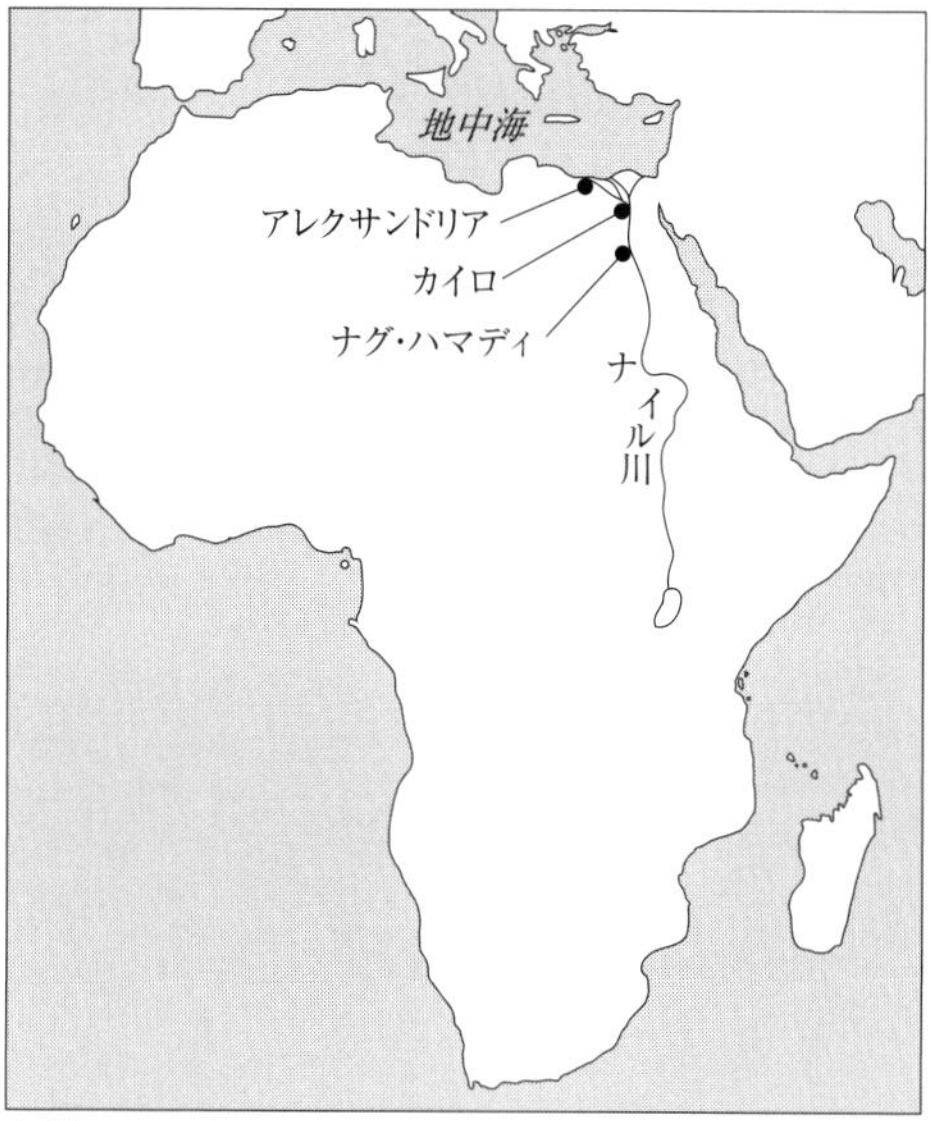

ナグ・ハマディ

これとは別に、文書そのものに表題がつけられているものもある。しかし、そうでない文書もあるし、たとえ写本に表題が記されているとしても、それが原作者自身による命名であるとは限らない。写本に表題

ナグ・ハマディ写本

が記されていない場合には、研究者が慣用名をつけている。しかし、複数の慣用名が流布してしまっていることがある。というわけで、それぞれのナグ・ハマディ文書を表題で呼ぶのは便利であり、本書でも『フィリポによる福音書』など慣用的な表題を無雑作に使ってきたが、学術論文などにおいては、誤解を避けるため、写本番号と文書番号を付記しておくのが暗黙のルールになっている。

以下、写本番号（ローマ数字）と文書番号（アラビア数字）の順に、ナグ・ハマディ写本に収められている文書のタイトル（慣用名）を一覧の形で挙げる。そして、岩波書店の『ナグ・ハマディ文書』全四冊（一九九七／九八年）において翻訳されている文書については、全四冊中の何冊めで訳されているのかの情報を付記しておく。

なお、同じ作品が重複して収められていることがあるという点には注意が必要である。たとえば『ヨハネのアポクリュフォン』は第二・第三・第四写本のそれぞれ第一文書として、合計三回も筆写されている（このことが持つ意味については、岩波版翻訳第Ⅱ巻における大貫隆氏による解説を参照）。こうした重複を考慮すると、ナグ・ハマディ写本に収められている「実質的」な文書数は、約四〇というこ

写本と文書の番号	タイトル（慣用名）	岩波版邦訳の巻数
Ⅰ 1	使徒パウロの祈り	
Ⅰ 2	ヤコブのアポクリュフォン	Ⅲ
Ⅰ 3	真理の福音	Ⅱ
Ⅰ 4	復活に関する教え	Ⅲ
Ⅰ 5	三部の教え	Ⅱ
Ⅱ 1	ヨハネのアポクリュフォン	Ⅰ
Ⅱ 2	トマスによる福音書	Ⅱ
Ⅱ 3	フィリポによる福音書	Ⅱ
Ⅱ 4	アルコーンの本質	Ⅰ
Ⅱ 5	この世の起源について	Ⅰ
Ⅱ 6	魂の解明	Ⅲ
Ⅱ 7	闘技者トマスの書	Ⅲ
Ⅲ 1	ヨハネのアポクリュフォン	Ⅰ
Ⅲ 2	エジプト人の福音書	Ⅱ
Ⅲ 3	エウグノストス	Ⅲ
Ⅲ 4	イエスの知恵	Ⅲ
Ⅲ 5	救い主の対話	Ⅲ
Ⅳ 1	ヨハネのアポクリュフォン	Ⅰ
Ⅳ 2	エジプト人の福音書	Ⅱ
Ⅴ 1	エウグノストス	Ⅲ
Ⅴ 2	パウロの黙示録	Ⅳ
Ⅴ 3	ヤコブの黙示録1	Ⅳ
Ⅴ 4	ヤコブの黙示録2	Ⅳ
Ⅴ 5	アダムの黙示録	Ⅳ
Ⅵ 1	ペトロと十二使徒の行伝	
Ⅵ 2	雷・全きヌース	Ⅲ
Ⅵ 3	真正な教え	Ⅲ
Ⅵ 4	われわれの大いなる力の概念	
Ⅵ 5	プラトン『国家』588A-589B	
Ⅵ 6	第八のものと第九のものについて	
Ⅵ 7	感謝の祈り	
Ⅵ 8	『アスクレピオス』の一部	
Ⅶ 1	シェームの釈義	Ⅳ
Ⅶ 2	大いなるセツの第二の教え	Ⅳ
Ⅶ 3	ペトロの黙示録	Ⅳ
Ⅶ 4	シルウァノスの教え	
Ⅶ 5	セツの三つの柱	Ⅳ
Ⅷ 1	ゾストゥリアノス	
Ⅷ 2	フィリポに送ったペトロの手紙	Ⅲ
Ⅸ 1	メルキゼデク	
Ⅸ 2	ノレアの思想	Ⅳ
Ⅸ 3	真理の証言	Ⅲ
Ⅹ 1	マルサネース	
Ⅺ 1	知識の解明	
Ⅺ 2	ウァレンティノス派の解説	
Ⅺ 3	アロゲネース	Ⅳ
Ⅺ 4	ヒュプシフロネー	
Ⅻ 1	セクストゥスの金言	
Ⅻ 2	真理の福音	Ⅱ
Ⅻ 3	断片	
XIII 1	三体のプローテンノイア	Ⅲ
XIII 2	この世の起源について	Ⅰ

とになる。「約」という曖昧な表現は、第十二写本の「第三」文書など、写本の保存状態が悪く、内容を精確に突き止めることの困難な部分が残されているためである。

ナグ・ハマディ写本がいつ書かれたのかという問題だが、いくつかの古文書学的な証拠から、紀元四世紀後半だということが定説になっている。言い換えれば、一九四五年にふたたび日の目を見るまで、ほぼ一六〇〇年の間、この写本はエジプトの土中にひっそりと壺の中で眠っていたというわけである。ただし、四世紀後半というのは写本が作られた時期、つまり載せられているテキストがパピルスに筆写されて製本された時期の目安であって、テキストそのものが最初に書き上げられた年代とは意味が違う。つまり、四世紀後半とは、各文書が「遅くともこの時期までには書き写すべき対象として存在していた」ということを示す指標である。

言語はすべてコプト語である。コプト語とは、エジプト語の末期の形態である。エジプトといえば象形文字（ヒエログリフ）が有名だが、あの言語が長い年月を経て変化してできた形態である。発見されたのがエジプトの奥地であるから、エジプトの言語で書かれた文書であったのは、当然だともいえる。しかし、細かな分析から、ナグ・ハマディ文書のほとんど、もしくはすべてが、古代ギリシア語からコプト語へ翻訳されたものだということが分かっている。したがって、前の段落で述べたこととあわせて考えるなら、（ほとんど）すべてのナグ・ハマディ文書について、

ギリシア語原典の成立

↓

（写本伝承）
↓
コプト語への翻訳
↓
（写本伝承）
↓
ナグ・ハマディ文書への筆写（紀元四世紀後半）

という文書伝承のプロセスがあったということになる。つまり、ギリシア語およびコプト語における写本伝承の段階がかなり長かったとすれば、文書そのものの成立は、四世紀後半よりもかなり古い時代に遡りうることになる。実際、一部の文書については、さまざまな状況証拠から、二世紀のうちに成立していたと考えられている。

というわけで、最初に記したことに戻るが、ナグ・ハマディ写本の発見によって、古代キリスト教思想史・異端史の研究は、正統多数派教会の反異端文書という枠から一気に解放されることになった。異端者の生の声が、われわれの耳に、ダイレクトに入ってくるようになったのである。

とはいえ、これによって初期キリスト教の歴史が一気に書き換えられることになったのかというと、決してそうではない。ナグ・ハマディ文書で確認できた情報のかなりの部分は、実のところ、すでに反異端文書からも推測されていた。また逆に、そもそもナグ・ハマディ文書のテキストを構文的なレベルで理解するためでさえ、反異端文書の各種情報を欠かすことはできないのが実情である。そして、これまでは誰も提起しなかった、というより提起しえなかった、新たな問題が次々に発見された。例えば、いったいなぜ、ナグ・ハマディ写本に、プラトンの『国家』が（コプト語訳で）書き写されているのだろうか（前記の表を参照）。何のために、ナグ・ハマディ写本を所有していた異端的グループは、プラトンの『国家』の、しかもこの箇所（五八八A～五八九B）を読んだのだろうか。

つまるところ、ナグ・ハマディ写本の発見は、グノーシス研究・古代キリスト教研究に何らかの解決をもたらしたのではなく、むしろ、全体の土俵を拡張したのだというべきである（こうした点について、詳しくは、岩波書店「荒井献著作集6　グノーシス主義」二〇〇一年の「月報」に載せられている拙稿を参照）。ナグ・ハマディ写本とほぼ同時期（一九四七年）に――こちらも偶然に――発掘された「死海写本」もそうだが、少なくとも古代研究においては、新しい資料が大量に発見されることは、そのぶん、新しい問題が大量に生ずるということに等しいのであろう。それによって、未解決の問題はむしろ増えるけれども、しかし、われわれの視野が広がる。歴史研究の進歩とは、まさにこの点にあるというべきなのかもしれない。

文献案内

一　原典資料

●グノーシスのオリジナル資料

・荒井献・大貫隆（責任編集）『ナグ・ハマディ文書』（全四冊）、岩波書店、一九九七／九八……計三二文書の翻訳・注釈・解説、さらに「プトレマイオスの教説」（エイレナイオス『異端反駁』より）、「バシリデースの教説」（ヒッポリュトス『全異端反駁』より）、「バルクの書」（ヒッポリュトス『全異端反駁』より）を併収。

・荒井献『トマスによる福音書』、講談社学術文庫1149、一九九四……一文書だけだが、右記の岩波版よりも詳しい解説と注釈がついている。

・荒井献・柴田有『ヘルメス文書』、朝日出版社、一九八〇

・『ソロモンの頌歌』（大貫隆訳）と外典使徒行伝（荒井献訳『トマス行伝』ほか）は、日本聖書学研究所編『聖書外典偽典』の第七巻（＝「新約聖書外典」Ⅱ）もしくは別巻（＝「補遺」Ⅱ）に解説・注釈つきの翻訳がある（教文館、一九七六／八二）。外典使徒行伝は、荒井献（編）『新約聖書外典』、講談社文芸文庫、一九九八年でも一通り読むことができる。ただし、詳しい研究のためには（せめて）教文館版を使う必要がある。

●抜粋集

・大貫隆（訳・著）『グノーシスの神話』、岩波書店、一九九九……ナグ・ハマディ文書、マンダ教文献、マニ教文献からの抜粋と解説。

●反異端文書／教父文献

・エイレナイオス『異端反駁』、小林稔訳、教文館（キリスト教教父著作集3）、一九九九～（一部既訳）

・エウセビオス『教会史』Ⅰ・Ⅱ、弓削達・松本宣郎訳、教文館（キリスト教教父著作集20・21）、未刊

・エウセビオス『教会史』、秦剛平訳、山本書店、一九八六

・オリゲネス『ケルソス駁論』Ⅰ～Ⅲ、出村みや子訳、教文館（キリスト教教父著作集8～10）、一九八七～（Ⅲのみ未刊）

・アレクサンドリアのクレメンス『ストロマテイス』、久山宗彦訳、教文館（キリスト教教父著作集4）、未刊

・テルトゥリアヌス『キリストの肉体について』『死者の復活について』、井谷嘉男訳、教文館（キリスト教教父著作集15）、未刊

・テルトゥリアヌス『異端者への抗弁』、掛川富康訳、教文

館（キリスト教教父著作集16）、未刊
・ヒッポリュトス『全異端反駁』、荒井献訳、教文館（キリスト教教父著作集19）、未刊
・ユスティノス『第一・第二弁明』、柴田有訳、教文館（キリスト教教父著作集1）、一九九二

●その他（邦訳のない文書）

本書で何度か触れた教父文献・反異端文書で、日本語訳のない（筆者の知る限り出版予定もない）ものについて、せめて現代語訳を挙げておく。なお、右に挙げた教父文献も含めて、ほとんどの文献が今日ではインターネット上でとりあえず（非常に古い）英語訳その他を見ることができる。情報のありかは各種のサーチエンジンから調べることができる。
・テルトゥリアヌス『マルキオン反駁』Tertullianus, Adversus Marcionem
・エピファニオス『薬籠』Epiphanius, Panarion

二　現代の参考文献

●一般向けの概説書
・ハンス・ヨナス『グノーシスの宗教』、秋山さと子・入江良平訳、人文書院、一九八六（原著一九六三年）
・荒井献（編）『新約聖書正典の成立』、日本基督教団出版局、一九八八
・マドレーヌ・スコペロ『グノーシスとはなにか』、入江良平・中野千恵美訳、せりか書房、一九九七（原著一九九一年）
・クルト・ルドルフ『グノーシス』、大貫隆監修、入江良平・筒井賢治訳、岩波書店、二〇〇一（原著第三版一九九四年）
・ヴァルター・レベル『新約外典・使徒教父文書概説』、筒井賢治訳、教文館、二〇〇一（原著一九九二年）
・山我哲雄・佐藤研『旧約新約・聖書時代史』（改訂版）、教文館、一九九七
・ミシェル・タルデュー『マニ教』、大貫隆・中野千恵美訳、文庫クセジュ、白水社、二〇〇二（原著一九八一年）
・山本由美子『マニ教とゾロアスター教』、山川出版社、一九九八

●専門研究書
・荒井献『原始キリスト教とグノーシス主義』、岩波書店、一九七一
・柴田有『グノーシスと古代宇宙論』、勁草書房、一九八二
・荒井献『新約聖書とグノーシス主義』、岩波書店、一九八六
・大貫隆『グノーシス考』、岩波書店、二〇〇〇

●その他

・特集『グノーシス主義』、「現代思想」一九九二年（第二〇巻）／二、青土社
・大貫隆・高橋義人・村上陽一郎・島薗進（編）『グノーシス　陰の精神史』、岩波書店、二〇〇一
・大貫隆・高橋義人・村上陽一郎・島薗進（編）『グノーシス　異端と近代』、岩波書店、二〇〇一

●中世以降のグノーシス主義

・ディミータル・アンゲロフ『異端の宗派ボゴミール』、寺島憲治訳、恒文社、一九八九
・フェルナン・ニール『異端カタリ派』（文庫クセジュ六二五）、渡邊昌美訳、白水社、一九七九
・渡邊昌美『異端カタリ派の研究』、岩波書店、一九八九
・ルネ・ネッリ『異端カタリ派の哲学』（叢書・ウニベルシタス五四七）、柴田和雄訳、法政大学出版局、一九九六

三　二世紀のグノーシス主義者に関する最近の研究書（海外）

最近の学界では、ナグ・ハマディ文書の校訂と解釈と並んで、個別のグノーシス主義者に関する綿密かつ多角的な研究が続々と発表されつつある。紀元二世紀のグノーシス主義者について、それに該当する研究を、筆者の気付いた範囲ではあるが、一通り挙げておく。専門的なキリスト教グノーシス研究に興味のある人にはこれらの著作がよい手引きになると思われる。ほとんどドイツ語なのは学界の趨勢からしてやむをえない。ただしナグ・ハマディ文書の研究ではフランス語や英語その他も重要である。

・Christoph Markschies, *Valentinus Gnosticus?*, Tübingen 1992
・Ulrich Schmid, *Marcion und sein Apostolos*, Berlin/New York 1995
・Winrich Alfried Löhr, *Basilides und seine Schule*, Tübingen 1996
・Nikolaus Förster, *Marcus Magus* (WUNT 114), Tübingen 1999
・Katharina Greschat, *Apelles und Hermogenes. Zwei theologische Lehrer des zweiten Jahrhunderts*, Leiden 2000
・Stephen Haar, *Simon Magus. The First Gnostic?*, Berlin/New York 2003

四　その他の参考文献

・アプレイウス『黄金のろば』（全二冊）、呉茂一・国原吉之

助訳、岩波文庫、一九五六／一九五七
・湯原かの子『ゴーギャン――芸術・楽園・イヴ』（講談社選書メチエ）、講談社、一九九五
・野町啓『謎の古代都市アレクサンドリア』（講談社現代新書）、講談社、二〇〇〇
・深井智朗『ハルナックとその時代』、キリスト新聞社、二〇〇二
・デレク・フラワー『知識の灯台――古代アレクサンドリア図書館の物語』、柴田和雄訳、柏書房、二〇〇三
・モスタファ・エル＝アバディ『古代アレクサンドリア図書館』（中公新書）、松本慎二訳、中央公論社、一九九一

あとがき

これまで、キリスト教グノーシスを一般向けに紹介する日本語の本は、H・ヨナスやK・ルドルフ、またM・スコペッロの著作など、筆者の知る限り、すべて外国語からの翻訳であった。一冊の本として最初から日本語で書かれたグノーシス入門書としては、したがって、本書が最初のものとなるはずである。そうなるだろうということは、もう数年前のことになるが、出版社からグノーシス入門書をという企画をいただいた時から予期していた。そして、出版予定日がようやく近づいてきている現在、どうやら、その予想が現実のものとなりそうである。

日本語オリジナルの最初の本だからといって、冷静に考えるなら、そのこと自体に大きな意味はない。信頼できる翻訳ものはすでに出回っているわけだし、今後も、グノーシスの概説書を書こうとする日本人研究者が出てくるだろう。

とはいっても、やはり、筆者に何か特別なりきみのようなものがあったことは否定できない。もしかしたら、それは本書のテーマうんぬんというより、筆者が日本において単著として出版する最初の本だということに原因があったのかもしれない。ともかく、一般向けの無難で信頼できる入門書をという出版社の依頼に対して、本書は、やや——良い意味でも悪い意味でも——個性的な仕上がりになってしまった。

もちろん、説明内容が筆者の独断に偏っているということはないはずである。ただ、章の配列やポイントの置き方が、「まえがき」でも断っているように、時代の横のつながりを重視するという、多少とも独特のコンセプトに基づいている。本書を読んでグノーシスに興味を持った読者は、ぜひ、ルドルフやヨナスの大部かつ網羅的な概説書にも目を通していただきたい。また、そちらをすでに読破しておられる方々にとっても、切り口の多少異なるグノーシス論として、僭越ながら、本書が存在価値を失うことはないと思う。これ以上の細かいことについては、「まえがき」の方を参照していただきたい。

本書の第一稿がとりあえず書きあがったころ、筆者の知っている学生や大学院生に、チェック・リーディングを頼んでみた。するといきなり、驚くことに、「あとがき」をみせろという要望が多く寄せられた。本というものは、最初に「あとがき」をみて読むかどうかを判断するのだから、本文などより「あとがき」の方がよっぽど大事なのだという。もちろん、その時点で「あとがき」などは一文字も書いていなかった。筆者としては、最後の最後に謝辞をまとめるだけでいいだろうというつもりでいたのである。しかし、言われてみればその通りで、筆者も、書店で学術関係の本を手に取る時には、まず「あとがき」を開くのが常である。

ところが、こうして「あとがき」を書いている現在、すでに本文は初校のゲラ刷りが出来上がっている。当初の予定通りにことが運んでしまったわけで、今さら、特別のネタを考え出したり、本文からこちらに移植してくる余裕はない。つまり、それこそ謝辞を別にすれば、もう書くべきことがない。

もしかしたら今も、書店や図書館で立ったままこのページを開いている人があるかもしれない。が、こうした事情なので、本来ここに書いてあるべき面白い話は、後から本文の方でゆっくりと探していただければ、著者としてこれにまさる喜びはない。

さて、このような本書がこうして出来上がるまでには、当然ながら、多くの方々の助けを得ている。まず、いま触れた学生・大学院生の人々に感謝したい。すべての指摘や要望に応えることはできなかったが、第一稿からは大きく変わっている部分もかなりあるので、あらためて、この最終稿を土台に、様々な議論ができればと願っている。

また、すでにかなりの年数にわたって筆者が古代キリスト教史の講義を受け持っている成城大学の学生（厳密にいうならこれまでの熱心な受講生）には、この場を借りて特に感謝しておきたい。この講義でキリスト教グノーシスがテーマになるのは通年でせいぜい一コマ程度なので、本書の具体的な内容とはあまり関係がない。が、そもそも信仰の有無や価値の判断とは無関係な場においてキリスト教を論じるという貴重な経験を、筆者は、この講義を通じて実践的に積ませてもらった。ところどころで言葉がくだけすぎたり、話が横道にそれたり、口調が押しつけがましかったりする箇所があるとすれば、それも筆者の講義スタイルに由来するのであろう。

学問的・内容的な面では、留学時代を含めて筆者がこれまで有益な教えを受けた先生方を、本来は列挙しなければならないところである。それは冗長にすぎるので、ここで一括して感謝するにとどめるが、しかし、本書を執筆するという機会そのものを仲介してくださった東京大学教養学部の大貫隆先生には、どうしても、格段の感謝の意をここで表しておきたい。
最後になってしまったが、本書の出版を担当された講談社選書出版部の山崎比呂志さんには、原稿の準備が遅れ続けたことをお詫びするとともに、長年の忍耐と細かい配慮に対するお礼を申し上げる。

二〇〇四年九月

著者

ヤ

ワ

マ

ナ

ハ

タ

カ

サ

索引

ア

グノーシス

二〇〇四年一〇月一〇日第一刷発行　二〇二四年六月一四日第一六刷発行

著者　筒《つつ》井《い》賢《けん》治《じ》

発行者　森田浩章

発行所　株式会社講談社

東京都文京区音羽二丁目一二―二一　郵便番号一一二―八〇〇一

電話（編集）〇三―五三九五―三五一二　（販売）〇三―五三九五―五八一七

（業務）〇三―五三九五―三六一五

装幀者　山岸義明　本文データ制作　講談社デジタル製作

印刷所　株式会社新藤慶昌堂　製本所　大口製本印刷株式会社

ISBN4-06-258313-5　Printed in Japan

N.D.C.190　236p　19cm

講談社選書メチエ　刊行の辞

書物からまったく離れて生きるのはむずかしいことです。百年ばかり昔、アンドレ・ジッドは自分にむかって「すべての書物を捨てるべし」と命じながら、パリからアフリカへ旅立ちました。旅の荷は軽くなかったようです。ひそかに書物をたずさえていたからでした。ジッドのように意地を張らず、書物とともに世界を旅して、いらなくなったら捨てていけばいいのではないでしょうか。

現代は、星の数ほどにも本の書き手が見あたります。読み手と書き手がこれほど近づきあっている時代はありません。きのうの読者が、一夜あければ著者となって、あらたな読者にめぐりあう。その読者のなかから、またあらたな著者が生まれるのです。この循環の過程で読書の質も変わっていきます。人は書き手になることで熟練の読み手になるものです。

選書メチエはこのような時代にふさわしい書物の刊行をめざしています。

フランス語でメチエは、経験によって身につく技術のことをいいます。道具を駆使しておこなう仕事のことでもあります。また、生活と直接に結びついた専門的な技能を指すこともあります。

いま地球の環境はますます複雑な変化を見せ、予測困難な状況が刻々あらわれています。

そのなかで、読者それぞれの「メチエ」を活かす一助として、本選書が役立つことを願っています。

一九九四年二月　野間佐和子

KODANSHA

ヘーゲル『精神現象学』入門　長谷川 宏
カント『純粋理性批判』入門　黒崎政男
知の教科書 ウォーラーステイン　川北 稔編
知の教科書 スピノザ　C・ジャレット 石垣憲一訳
知の教科書 ライプニッツ　F・パーキンズ 梅原宏司・川口典成訳
知の教科書 プラトン　M・エルラー 三嶋輝夫ほか訳
フッサール 起源への哲学　斎藤慶典
完全解読 ヘーゲル『精神現象学』　竹田青嗣 西 研
完全解読 カント『純粋理性批判』　竹田青嗣
分析哲学入門　八木沢 敬
ドイツ観念論　村岡晋一
ベルクソン＝時間と空間の哲学　中村 昇
精読 アレント『全体主義の起源』　牧野雅彦
ブルデュー 闘う知識人　加藤晴久
九鬼周造　藤田正勝
夢の現象学・入門　渡辺恒夫
熊楠の星の時間　中沢新一

ヨハネス・コメニウス　相馬伸一
アダム・スミス　高 哲男
ラカンの哲学　荒谷大輔
解読 ウェーバー『プロテスタンティズムの倫理と資本主義の精神』　橋本 努
新しい哲学の教科書　岩内章太郎
西田幾多郎の哲学＝絶対無の場所とは何か　中村 昇
アガンベン《ホモ・サケル》の思想　上村忠男
ドゥルーズとガタリの『哲学とは何か』を精読する　近藤和敬
使える哲学　荒谷大輔
ウィトゲンシュタインと言語の限界　ピエール・アド 合田正人訳
〈実存哲学〉の系譜　鈴木祐丞
パルメニデス　山川偉也
精読 アレント『人間の条件』　牧野雅彦
快読 ニーチェ『ツァラトゥストラはこう言った』　森 一郎
構造の奥　中沢新一